文春文庫

禁断の魔術

東野圭吾

禁断の魔術

1

腕時計で時刻を確認した。午後十一時を少し過ぎている。ロビーに残っていた客が三々五々引き上げるのを見送った後、吉岡は手元の端末に目を落とした。

東京のシティホテルの夜は長い。フロントオフィスの夜勤は午後十時からだが、それから客がチェックインすることなどざらだ。日付が変わってからということも珍しくない。そういう客の中には艶っぽい雰囲気を漂わせているカップルも少なくないのだが、吉岡は彼等の応対をするのが決して嫌いではなかった。今日は二人にとって特別な日で、どこかで豪華な食事をし、少し酒を飲んでから来たのだろうかとか、男性が女性をデートに誘い、首尾よくホテルに誘導することに成功したのだろうかとか、あれこれ想像を膨らませる楽しみがある。もちろん、そんな好奇心を顔に出すわけにはいかなかったが。

正面玄関の自動ドアが開き、一人の女性が入ってきた。二十代後半といったところか。かっちりとしたスーツ姿ではあるが、若干短めのスカートがかすかに隙を感じさせる。

女性にしては長身なほうだろう。瓜実顔《うりざねがお》で、大きな目はやや吊り上がっている。すぐに思い出した。何度か来ている女性だ。吉岡も、二度ほど担当した。ただし、一度目と二度目では名前が違っていた。

ヤマモトです、と彼女は小声でいった。

また違う、と吉岡は思った。一度目も二度目も、そんな名字ではなかった。だがもちろんそんな内心はおくびにも出さず、端末を操作した。

「山本春子様ですね」

「そうです」

「お待ちしておりました。本日よりスイートルーム御一泊ということで間違いございませんか」

「はい」

「ありがとうございます。では、こちらに御記入いただけますか」宿泊カードを出した。

彼女はボールペンを手にし、住所や氏名を書き込み始めた。偽名なのだから、たぶん住所もでたらめだろう。こうしてホテルの顧客リストに、架空の人物データが増えていく。

何気なく彼女の顔を見て、おやと思った。あまり血色がよくないのだ。以前、肌の白い人だなと思った覚えがある。だが今夜は灰色に近い。

彼女が記入を終えた。住所は千代田区になっていた。

「失礼ですが山本様、お支払いはカードでしょうか。それとも現金で？」わかりきったことを訊く。

現金で、と答えながら彼女はバッグを開け、財布から取り出した現金をトレイに置いた。

「これで足りますか」

手に取って数えてみると一万円札は十三枚あった。一泊十万円の部屋だから、デポジットとしては十分だ。これまでの経験で相場がわかっているのだろう。

ありがとうございます、といって吉岡は手順通りに処理をした。

「お待たせいたしました。1820号室を御用意しております」カードキーの入ったフォルダをカウンターに置いた。「お部屋までの御案内は？」

結構です、といいながらフォルダに手を伸ばす時、彼女は一瞬眉をひそめ、目をつむった。まるで何かの痛みを堪《こら》えているように見えたので、「どうかされましたか」と吉岡は訊いた。「大丈夫ですか」

女性客は唇に笑みを浮かべて頷《うなず》いた。「ええ、大丈夫です」フォルダを手に取った。

どうぞごゆっくりお寛《くつろ》ぎくださいませ、と吉岡は頭を下げた。顔を上げた時には、彼女の姿はエレベータホールに向かっていた。

明日の朝も、彼女は一人でここへやってくるだろう。そしてチェックアウトの手続きを済ませ、一人でホテルを後にするに違いない。しかし部屋でも一人きりだとはかぎらない。彼女の部屋に誰が訪れるか、それは自分たちの与《あずか》り知らぬことだ。

新たにビジネスマンらしき男性が近づいてきた。吉岡はそちらに顔を向け、会釈をした。

「恐怖のバスの御到着だ。行くぞっ」先輩ベルボーイに背中を叩かれ、松下は足早に正面玄関に向かった。外に出ると車寄せに止められたバスから、大勢の中国人観光客が降りてくるところだった。

車体下部のラゲッジスペースには、スーツケースや巨大なバッグが、ぎっしりと詰め込まれていた。それらを館内に運び入れるのが松下たちの仕事だ。もちろんそれだけでは終わらない。チェックインまでは時間があるので、一箇所にまとめて管理しておく必要がある。数が少なければどうということはないが、数十個となるとスペースを確保するだけでも大変だ。ほかの客たちに迷惑がかからないよう、気を遣う必要もある。

「まったく、どうしてこんな早い時間に来るかねえ。まだ一時前だぜ」並べた荷物をネットで覆いながら、先輩はぼやいている。

一段落して持ち場に戻ろうとフロントの前を通りかかった時、松下君、とベテランのフロントクラークから声をかけられた。「ちょっといいかな」

「何ですか？」

どこかに電話をかけていたらしく、フロントクラークは受話器を手にしていた。それを置き、「1820、様子を見てきてくれないか」といった。「この時間になっても、まだお客様が現れないんだ。電話をかけたんだけど、出なくってね。デポジットを預かっているから、勝手に出ていったわけではないと思うんだけど」

このホテルのチェックアウトタイムは正午だ。一時間近くが経っているのだから、たしかにおかしい。

「男性ですか」

「いや、チェックインしたのは女の人らしい。だから、それなりに気を遣ってくれ」

「わかりました」

マスターキーを手に、松下は部屋に向かった。1820号室はスイートルームだ。部屋の前まで行くと、まずはチャイムを鳴らしてみた。しばらく待ったが反応がないので、今度はドアを何度かノックしてみた。だが、やはり応答はない。

こうなれば最後の手段だ。入らせていただきます、と断ってからマスターキーをカード穴に差し込んだ。

ドアを開け、慎重に奥へと進んだ。リビングルームに人影はなかった。テーブルにビール瓶と二つのグラスが置かれている。どちらにもビールが半分ほど残っていた。

寝室のドアが閉まっている。ここでも、まずはノックだ。しかし何の反応もない。深呼吸をしてから、すみません、と松下は少し大きな声を出した。女性客が眠り込んでいる可能性もあるからだ。

松下はドアを開け、失礼します、といって室内を覗き込んだ。

一瞥《いちべつ》して、ぎくりとした。何となく、誰もいないのではないかと思っていたのだが、クイーンサイズのベッドで女性が仰向けになっていた。ブラウスにスカートという出で立ちだ。

だが心底驚いたのは、その数秒後だった。

ベッドカバーが、真っ赤に染まっていた。それが夥《おびただ》しい量の血で、女性の下半身を中心に広がっているのだと気づくまでに、さらに数秒を要した。穿《は》いているストッキングも真っ赤だ。

そして松下はようやく気づいた。蒼白な顔をした女性は、うっすらと目を開いていたのだ。しかし全く動く気配はない――。

頭が混乱した。どうすればいいかわからない。ただ呆然と立ち尽くしていると、上着の内側で買ったばかりのスマートフォンが震えた。取りだそうとして、危うく落としそうになった。

はい、と辛うじて声が出た。

「松下君？　どんな具合かなあと思ってね」ベテランのフロントクラークからだった。やけにのんびりとした口調に聞こえた。

松下は深呼吸をすると一気にしゃべり始めた。

「大変です。お、お客様が殺されています。ベッドで……刺されて……」

2

帝都大学理学部には長い歴史がある。建物に足を踏み入れた瞬間、空気の匂いが違う、と古芝《こしば》伸吾《しんご》は感じた。無論、カビや埃の臭いがするという意味ではない。古い博物館や美術館を想起させる、格調のある香りが漂っているように思うのだ。もっとも、年季を感じさせる壁や床、そして天井の程よい傷みや汚れが、そんなふうに錯覚させているだけかもしれなかったが。

前方から二人の学生が歩いてきた。どちらも明らかに伸吾より年上だった。真剣な顔つきで何やら話し合っている。すれ違う時、彼等は伸吾に見向きもしなかった。高度な研究内容について議論していたのではないか。そんなふうに想像した。ここでは誰もが優秀な先輩科学者に見える。

階段を上がり、廊下を歩いた。やがて目的のドアが見つかった。第十三研究室と書かれた札が出ている。ドアには行き先表示板が付けられていた。それを見るかぎりでは、伸吾が会いたい人物は在室中のようだ。

深呼吸を一つし、ドアを開けた。まず目に飛び込んできたのは作業台だ。その向こうに二人の人間がいる。白衣を着た人物は机に向かっていて、その横に学生らしき若者が立っていた。伸吾からは、どちらの顔も見えない。

「あの、すみません……」遠慮がちに声をかけた。

学生らしき若者が伸吾のほうを向いた。だが白衣の人物は小さく片手を上げただけだ。

「ちょっと待っててくれ。順番だ」低くよく通る声だった。伸吾の耳に懐かしく響いた。

彼は部屋に入り、ドアを閉めた。立ったまま、二人のやりとりを聞いた。どうやら若者は注意を受けているようだった。

「とにかく、こういうミスは今後気をつけるように。どんなに簡単な計算でも、必ず自分でやってみて、結果を確認することだ。人が出した結果になんか振り回されるな」白衣の人物が厳しい口調でいう。

若者は、わかりました、と首をすくめて答え、少し消沈した様子で部屋を出ていった。それを見送ってから伸吾は白衣の背中に向かって、あのう、と声を発した。

「君で五人目だ」白衣の人物が指を広げた。「ほかの者にもいったが、レポートの期限については変更できない。第一回の講義の時から予告しておいたことだ」

「レポート？」伸吾は頭を掻いた。「ええと、それはどういう……」

「違うのか」くるりと椅子を回転させ、白衣の人物がこちらを向いた。その瞬間、やや険しかった顔が、虚を衝かれたように緩んだ。「おっ……」

「湯川《ゆかわ》先生、お久しぶりです」伸吾は笑顔を作り、頭を下げた。

「君は、たしか……」白衣の人物――湯川が人差し指を向けてきた。「古芝君。そうだ、古芝伸吾君だ」

「そうですっ」勢いよく答えた。名字だけでなく、下の名前も覚えていてくれたことが嬉しかった。

「久しぶりだなあ。どうしてここに？　あっ、もしかすると……」

はい、と大きく頷いた。

「おかげさまで、合格できました。工学部機械工学科です」

「そうかっ」湯川の目が、眼鏡の向こうで見開かれた。「それはよかった。おめでとう」

湯川は立ち上がり、片手を差し出しながら近づいてきた。伸吾はジーンズで手のひらの汗を拭いてから、握手に応じた。

「あれは一年前になるかな」湯川が尋ねてきた。

「そうです。高校の春休み期間中でしたから、一年と少し前です。すみません、連絡しなきゃと思っていたんですけど」

「そんなことは構わない。受験勉強で忙しかったんだろう。それより、あれからどうなった？　入部希望者は現れたのか」

「二人入りました。今年も一年生が一人入ったそうです」

「それはよかった。とりあえず廃部の危機は脱したということか」

「どうにか。湯川先生のおかげです」

「私は大したことはしていない。君の努力の賜《たまもの》だ」湯川は小さく手を振り、流し台に向かった。「時間はあるんだろ？　コーヒーでも淹《い》れよう。いや、それより学食に行こうか。じつはまだ昼食を摂《と》ってないんだ」

「いえ、残念ながら、これからバイトなんです。ファミレスで」

「バイト？　昼間から？」

「いつもは夜ですけど、今日は土曜日なので」

そうか、と湯川は小さく頷いた。「やはり、いろいろと苦労が多そうだな」

「いえ、平気です。以前お話ししたと思いますけど、うちは姉が頼りになりますから」

「お姉さん……そうだったな」

「また来てもいいですか」

「もちろんだ。歓迎するよ。今度は、もう少しゆっくりと話したいな」

「バイトのない時に来ます」

「うん、そうしてくれ。携帯電話の番号は変わってないな」

「以前のままです。ではまた。お邪魔しました」仲吾は頭を下げ、ドアに向かった。すると、古芝君、と湯川が呼びかけてきた。仲吾は足を止め、振り返った。

「ようこそ帝都大学へ」湯川はいった。「がんばれよ」

はいっ、と仲吾は力強く答えた。

理学部の建物を出たところで、大きく息を吐いた。身体が少し熱い。まだ緊張が残っているせいだ。久しぶりに恩人と話せ、興奮していた。

あの物理学科の准教授は、仲吾の高校の先輩だ。といっても二十歳以上も離れているから、大先輩ということになる。

知り合ったきっかけは、仲吾が手紙を書いたことだった。当時、高校二年の三学期終了を前に彼は焦っていた。理由はほかでもない。所属しているサークルの部員が、三年生の卒業後には彼一人になってしまうのだった。

そのサークルは物理研究会といった。様々な物理実験を楽しもうという、所謂《いわゆる》科学オタクたちの集まりだが、近年は入部希望者が殆《ほと》んどいなかった。

四月になれば新入生が入ってくる。彼等に対して何か魅力的なパフォーマンスをすれば入部希望者が現れるのではないか、と考えた。しかし良いアイデアは浮かばなかった。

いや、アイデアはあっても、予算がないのだ。顧問の教師に相談してみたが、難しい顔で考え込むばかりで、まるで頼りにならなかった。

困った末に思いついたのが、OBに助けを求めるという方法だった。名簿を調べ、協力してくれそうな人物を探すことにした。とはいえ、名前や肩書きを見ただけでは、誰が力を貸してくれそうかはわからない。結局、連絡先のわかるOB全員に、窮状を訴える手紙を出した。

だが色よい返事はなかなか来なかった。それどころか、多くの手紙が届け先不明で戻ってきた。古い名簿は、使い物にならなくなっていたのだ。

諦めかけていた時、手紙に記したアドレスにメールが届いた。相手のドメインに、思わず目を見張った。帝都大学を示すものだったからだ。

そのメールを送ってきたのが湯川学だった。文面を読み、仲吾は暗闇の中で一筋の光を見つけたような気になった。物理研究会廃部の危機を回避するためなら一肌脱いでもいい、という内容だった。

三月に入って間もなくのある日、湯川が高校にやってきた。物静かではあるが、締まった体つきで、若々しさを全身から発している人物だった。聞けば高校時代にはバドミントン部にも属していたという。何となく、もっと年配の、しかもスポーツとは無縁の人物を予想していただけに意外だった。

湯川は新入生相手のパフォーマンスのアイデアを、いくつか用意してくれていた。それらはどれも魅力的だったが、そのうちの一つを伸吾は選んだ。電流と磁界を使った実験装置だった。それが一番インパクトがあると思ったからだ。ただし製作は困難で、予算もかかりそうだった。だがここでも湯川が助けてくれた。大学で余っている機材を回してくれるというのだった。

高校が春休みに入ると、本格的に製作を始めた。湯川も毎日のようにやってきては、様々なテクニックやノウハウを伝授してくれた。科学には強いと自負していた伸吾だったが、湯川の知識と経験の豊富さには舌を巻いた。一緒にいると、新たな発見の連続だ。時には、理論があまりに難解で、ついていけなくなりそうなこともあった。それで伸吾が諦めそうになると、湯川は珍しく厳しい言葉を発した。

「諦めるな。過去の人間が考えついたことを、若い君たちが理解できないなんてことはない。一度諦めたら、諦め癖がつく。解ける問題まで解けなくなるぞ」そして伸吾が理解できるまで、粘り強く説明してくれるのだった。

この人は科学者としてだけでなく人間としても最高だ、と思った。

その「装置」が出来上がると、試験を行い、湯川のアドバイスを参考に改良を加えていった。春休みの後半には、それはほぼ完璧な形に仕上がっていた。自分でも満足のいく出来映えで、湯川も、「うちの学生でもこれほど上手くは作れない」と褒めてくれた。

その夜、湯川を伸吾の自宅に招き、完成祝いをすることになった。自宅といっても、九歳上の姉と二人で住んでいるマンションの一室だ。母は伸吾が幼い頃に病気で他界し、父は伸吾が中学三年の時、事故で亡くなっていた。それ以来、生計を支えてくれているのは姉の秋穂《あきほ》だ。

その秋穂がすき焼きを用意してくれた。湯川は恐縮した様子で肉や野菜を食べ、ビールを飲んだ。酒の相手をする秋穂も嬉しそうだった。部屋に客を招いて食事をすることなど、姉弟で暮らし始めてからは初めてのことだった。

ビール瓶が何本か空になると、准教授の舌は軽やかになり、いろいろなことを話してくれた。科学の歴史、宇宙、未来――話題は豊富で、伸吾は飽きることがなかった。そんなふうにしていると亡き父のことを思い出した。

伸吾は、父のことを尊敬していた。重機を扱うメーカーの技術者だった恵介《けいすけ》は、「科学を制する者は世界を制す」を口癖にしていた。

「オリンピックが良い例だ。ただ身体を鍛えるだけでは勝てない。健康管理にトレーニング、テクニック、戦術、道具、スパイク、水着――スポーツ科学を極めた者にしか勝利は与えられない。根性論や精神論なんてナンセンスだ。いや、精神さえも突き詰めれば脳科学の話だ。逆にいえば、科学を味方につけた者は無敵だ。どんな夢さえも叶う」

夕食時の晩酌が進むと、恵介はいつもこんなことをいった。

また始まったよと思いつつ、伸吾はそんな父の話を聞くのが嫌いではなかった。いつしか彼自身も科学に興味を示すようになったのだった。

湯川と乾杯するために一杯だけ飲んだビールが回ったらしく、気づくと伸吾はソファで横になっていた。身体には毛布がかけられていた。頭が少しぼんやりしたまま首を捻ると、食卓で向き合っている湯川と秋穂の姿が見えた。何やらぼそぼそと話しているが、よく聞こえない。

伸吾が身体を起こすと、「目が覚めた？」と秋穂が訊いてきた。

「二人で何を話してたの？」

内緒、といって姉は悪戯《いたずら》っぽく笑った。しかしすぐに湯川が、「君のお父さんのことだ」と教えてくれた。「科学を制する者は世界を制す――いい言葉だ」

伸吾は胸の奥が温かくなるのを感じた。ありがとうございます、と口に出していた。父親のことを褒められたように思った。

四月になると、湯川は高校に来てくれなくなった。三か月ほどアメリカに行くことになったらしい。「これ以上、君に教えることは何もない。新入部員勧誘に成功することを祈ってるよ」それが最後の言葉だった。

この「装置」によるパフォーマンスのおかげで部員勧誘には成功した。だがアメリカの連絡先がわからず、そのことを湯川には伝えられなかった。そのうちに受験勉強が忙しくなり、疎遠になってしまったのだった。

しかし湯川のことを忘れたことはなかった。それどころか、彼に憧れる気持ちが勉強時の集中力を高めてくれたといえる。志望は帝都大学、それ以外には考えられなかった。ただし物理学科ではなく、機械工学科を目指した。そちらのほうが就職しやすいと考えたからだ。伸吾は湯川に憧れてはいたが、自分が学者タイプでないことはわかっていた。湯川のいる帝都大学で科学をしっかりと学び、父親のような優秀な技術者になる、それが現時点での伸吾の目標だった。

大学の門から外に出た時、スマートフォンが着信を告げた。着信表示は「秋穂」となっている。昨夜、彼女は帰ってこなかった。仕事柄珍しいことではないので、特に気にもしていない。

「ほーい、どうしたー？　無断外泊女めー」おどけた声でいった。

だが返事はすぐには聞こえてこなかった。何かを躊躇《ためら》う気配があってから、もしもし、と男の声がいった。

どきりとした。着信表示を見間違えたのかと思った。

答えないでいると、もしもし、と再び男はいった。「古芝伸吾さんですね」

「え……あ、はい、そうですけど」混乱した。なぜ相手は自分の名前を知っているのか。

「自分は警察の者です」

じつは、といってから少し間を置き、相手の男は続けた。「古芝秋穂さんがお亡くなりになりました」

「はあ？」

その言葉は、一旦伸吾の脳を素通りした。何を聞いたのか、わからなかった。

「もしもし。聞こえますか？　古芝秋穂さんが――」男は先程と同じ台詞《せりふ》を繰り返した。

頭の中が真っ白になった。

3

列車は間もなく目的の駅に着こうとしていた。時刻は午後五時を少し過ぎたところ。窓から外を眺めると、日は長くなっているが、分厚い雲が広がり、空の色は暗かった。帰る頃に降らなければいいが、と鵜飼《うかい》和郎は思った。ついこの間、ゴールデンウィークが終わったばかりなのに、気づけば梅雨《つゆ》入りの心配をする時期になっていた。時の経つのは早い。

駅に着くと、書類鞄を抱えてホームに降りた。前回来た時よりも乗降客は増えているようだ。少しずつ活気が出てきているなら結構なことだ、と思った。

改札口の先には巨大な看板があった。『ようこそ科学の町へ』とあり、宇宙服を着た少年とビーカーを手にした白衣姿の少女が笑っている。やや野暮ったいように思うが、これぐらいのほうが一般受けするのだと広告代理店の担当者はいったらしい。それを聞けば、そうなのかなと納得するしかない。

コンコースに出て、タクシー乗り場に向かった。通りの向かい側では工事が始まっている。駅に直結したビジネスホテルが建つのだという。ニーズを見極めてからでも遅くないと思うが、久しぶりに巡ってきた町おこしのチャンスに、逸《はや》る心を抑えきれないというところか。

タクシーに乗り、行き先を告げた。走り出して間もなく、道端にプラカードが並べられていることに気づいた。『科学より自然を』、『貴重な動植物を守れ』といったものだ。『放射能を持ち込ませるな』というのもあった。

「最近はどうですか」運転手の白髪頭を見ながら鵜飼は訊いた。「ST効果で利用客が増えたりしてませんか」

うーん、と運転手は前を向いたままで首を捻《ひね》った。

「工事関係者は使ってくれますかねえ。でも地元の人間は、相変わらずあまり乗りません。まだ何も始まってないからねえ。これからじゃないですか」

そうですね、と相槌を打った。何も始まっていない——まさに、その通りだ。

十分ほど走ったところでタクシーから降りた。

その店は繁華街から少し外れたところにあった。一見したところは路地裏の古い民家といった風情だ。看板は出ているが、殆ど目立たない。初めてきた時には見つけるのに手間取った。

引き戸を開けると、狭い通路があった。奥から作務衣《さむえ》姿の中年女性が現れた。鵜飼は名乗らなかったが、「いらっしゃいませ。もうお着きです」と抑え気味の愛想笑いを寄越してきた。

女性に案内され、奥へと進む。通されたのは、八畳ほどの和室だ。そこには四人の男がいた。そのうちの二人は手前で正座しており、あとの二人は四角いテーブルに向かって並んで座っていた。その二人は顔見知りだ。

「何ですか、お二人とも。奥に座ってくださいよ」鵜飼は空いている床の間の前を指し、テーブルについている二人に向かって顔をしかめてみせた。

「いやいやいや、上座は鵜飼さんが」頬骨の突き出た顔でいったのは池端《いけはた》という男で、鵜飼が秘書を務める代議士の、この地における後援会長だ。

「そうです。どうぞ、御遠慮なく」池端の隣にいる男もいう。この町で始まっているプロジェクトの実質的な責任者で、西村という人物だった。大手不動産会社の社長だ。

参ったなあ、と呟きながら鵜飼は上座に腰を下ろす。「何だか、落ち着きませんな」

「大賀《おおが》先生の代理なんだから、威張っててもらわないと」池端はそういって笑うと、作務衣の女性に頷きかけた。女性はお辞儀をしてから部屋を出て、入り口の襖《ふすま》を閉めた。

池端が鵜飼のほうに顔を向けた。「遠いところをお疲れ様です」

「そんなことをいったら、大賀が怒りますよ。光原町《みつはらちょう》は東京から遠くない、だから今度の計画があるんだってね」

「ははは、そうでしたな」池端は黄色い歯を見せた。

鵜飼は視線を西村に移した。

「大賀が、西村社長によろしくと申しておりました。本日は、顔を出せずに申し訳ないとも」

「とんでもない。本来なら、こちらからお伺いすべきところです。わざわざ鵜飼さんに御足労いただき、恐縮しております」

「お気になさらず。それより、各地の工事は順調ですか」

「今のところ、大きなトラブルはありません。ただ、糸山地区のほうでちょっとした問題が起きましてね」

「電話でお聞きしたところによると、そのようですね。糸山地区というと、G棟が建つ予定の場所ですな。また何かありましたか」

ええまあ、と曖昧《あいまい》に頷いた後、西村は離れて座っていた男たちのほうを見た。「鵜飼さんに御説明を」

二人の男のうち、眼鏡をかけていないほうがテーブルに躙《にじ》りよってきた。名刺を出し、糸山地区担当の岡本です、と名乗った。

「早い話が、ここへきて反対運動が活発化しておりまして」岡本がいった。

「ああ、やはり」鵜飼は頷いた。「来る途中でも、町のあちらこちらでプラカードを見ましたよ。一時、下火になったと思っていたのですが、また盛り返してきましたか」

「はい。しかも、少々厄介な話でして」岡本はテーブルの上でファイルを開き、図面を広げた。建物と周辺の土地の平面図だ。「このG棟の建設予定地の北約一キロのところでイヌワシの巣が確認されたんです」

「ははあ、イヌワシですか」

思ってもいない名称が飛び出してきて、鵜飼は少し戸惑った。

「そうなんです。絶滅の危機がいわれている鳥です。それを根拠に反対派が、県に工事の禁止を命じるよう訴えました。近く、環境省にも要望書を出すそうです」

「前にも別の地区で似たような話がありましたね。たしか虫の名前が出ていたように記憶していますが」

「ムカシトンボです」岡本がいった。「サンショウウオが取り上げられたこともあります。いずれもこちらで環境調査を行い、影響は出ないというお墨付きを環境省からいただいて事なきを得たのですが、今回は微妙なんです。環境省はイヌワシの保護に積極的で、巣から一キロというのは、ちょっと近すぎます」

「ははあ、しかし許可を出すのは県でしょう。県ではどのように対応を?」

「環境省のマニュアルに従えば、許可を出しにくい状況だそうです。でも環境省が工事を妥当だと判断してくれるなら柔軟に対応したいと……」

「なるほど」

要するに環境省に掛け合ってくれということらしい。

「何とかなりませんかね」西村が口を挟んできた。「岡本によれば、イヌワシの営巣に影響がないかどうかをきっちりと調べるとしたら、何年もかかるということなんです。ただでさえ糸山地区は厄介な問題を抱えていて、工事開始が一番遅れそうな見込みです。これでさらに遅れるなんてことになったら、計画全体に支障が出てしまいます」

「わかりました。東京に戻りましたら、すぐに大賀に伝えておきましょう」手帳を出しながら鵜飼はいった。

「よろしくお願いいたします。詳しいことは、このファイルを見ていただければわかると思います」岡本はファイルを閉じ、鵜飼のほうに差し出した。

お預かりします、といってファイルを鞄にしまってから、「なかなか諦めてくれませんな。反対派の人たちは」といって西村を見た。

「諦めるどころか、あの手この手で難癖をつけてきます。参りますよ」西村は眉を八の字にした。

「もう計画は実施することが決まっているし、いくつかの工事も始まっているのに、どうしてそんなに抵抗するんですかね。やはりG棟ですか」

「おっしゃる通りです。彼等としては、ほかはともかく、あの施設だけは絶対に認められないということなんですよ。まあ、反発されることは最初から予想できたわけですが、あの施設を光原町が受け入れたからこそ、このプロジェクトの実施が決まったんですからね」

「あの手この手とおっしゃいましたね。ほかにはどんなことをいってきているんですか」

「いろいろですよ。最近の手口としては、すでに始まっている工事に因縁をつけてくることが多いようです。環境を維持しつつ工事を進めるという当初の約束が守られていない、といってね。ほかの地区で、予定地以外の木を誤って伐採《ばっさい》してしまったことがあるんですが、写真を撮って、県に抗議に行きました。即刻工事を中止させろとね」

「ははあ、なかなかの行動派ですな」

「過激なのは一部の人間だけなんですけどね。ええとそれで――」西村が、岡本の隣で控えていたもう一人の男に目をやった。「紹介する、というほどのことでもないのですが、一度鵜飼さんに引き合わせておいてもいいかなと思い、連れて参りました。調整役を任せている一人です。今後は反対派対策に加わってもらおうと思っています」

よろしくお願いしますといって男が出してきた名刺には、建築コンサルタントの肩書きが付いていた。矢場《やば》という名字だった。

鵜飼も名刺を出した。矢場は両手で受け取り、掲げるように頭を低くしてから、大事そうに自分の名刺入れにしまった。鵜飼は素早く、初対面の男の品定めをする。

地味なスーツを着ているが、決して安物ではない。金縁眼鏡の向こうにあるのは、狡《こう》猾《かつ》に人の隙を狙い続けてきた目だ。何か格闘技をしていたのだろう、耳がカリフラワー状に潰れていた。

「用地買収で揉めていた引田地区ですがね、彼が話をまとめてくれたのが大きかったんです。交渉ごとには情報が第一、相手のことを知るのが何よりだといって、こつこつと情報を集めてくれました。その賜です」

ほう、と鵜飼は視線を西村から矢場に移した。

いえいえ、と矢場は小さく手を振った。

「大したことはしちゃいません。ただ、どんな人間も、弱みや欲ってものを一つや二つは持っているものですからね、そういうものを地道に拾っただけです」

「その要領で反対派対策も乗り切れると?」

さあ、と矢場は首を捻った。

「まだ何ともいえません。でも、ひとつ、とっかかりを見つけたところです。そこから攻めていきたいと考えております」不敵な笑みを唇の端に浮かべた。

「それは頼もしいですな」

その、とっかかりとやらの詳しい内容は聞かないほうがよさそうだと鵜飼は判断し、追従笑《ついしょう》いだけをしておいた。

「では、私たちはこれで」矢場がいった。「女将《おかみ》に、料理を出すようにいっておきましょうか」

「ああ、よろしく頼む」西村が答えた。

矢場と岡本が出ていった後、「あの矢場という人物、なかなか役に立ちそうですな」と池端が目を光らせた。

「おっしゃる通りです」西村が頷く。「人脈も持っています。池端さんも鵜飼さんも、何かお困りのことがあれば、大いに使ってくださって結構です」

「ありがとうございます」鵜飼は頭を下げながら、そんなことは絶対にするものかと心に決めていた。役に立つ男は、刃物や火薬と同じだ。扱い方を間違えると、こちらの身が危うくなる。人脈というのは、おそらく裏社会のことをいっているのだろう。

鵜飼が顔を上げた時、タイミングよく襖が開いて先程の作務衣の女性が現れた。

4

倉坂由里奈《ゆりな》がその従業員の存在に気づいたのは、五月末のことだった。高校の中間試験が始まった日で、昼過ぎには自宅の近くまで帰ってきた。早く解放されたからといって、同級生たちと寄り道する気になどとてもなれなかった。試験は明日も明後日もあるのだ。しかも今日行われた数学の試験は散々だった。採点結果なんか、見なくてもわかる。まともに解けた問題が、ろくになかった。せめて、ほかの科目はまともな点数を取りたい。帰って昼食を済ませたら、すぐに勉強だ。

倉庫や工場が建ち並ぶ道を由里奈は歩いた。やがてクラサカ工機の前を通りかかった。父親が経営している会社で、このあたりでは大きいほうだ。

昼休みらしく、いつもはうるさい機械の音が聞こえなかった。何気なく敷地内を見ると、一人の若者が木箱に腰掛けて雑誌のようなものを読んでいた。作業着姿だから、従業員なのだろう。クラサカ工機には、常時二十名近い従業員がいる。入れ替わりも多いので、由里奈も全員の顔を知っているわけではない。その若者も見たことがなかった。

彼が一瞬顔を上げたので、目が合ってしまった。由里奈はあわてて目をそらし、歩きだした。それで自分が立ち止まっていたことに気づいた。

帰宅してからも、あの若者のことが頭から離れなかった。涼しげで、しかしどこか憂いを帯びた眼差しが瞼《まぶた》に焼き付いている。年齢は、由里奈よりも少し上ぐらいか。今年の四月に高卒の男子が一人入社したが、早々に辞めてしまったから新たに募集をしなければならない、と父がこぼしていた。それで入ってきた人だろうか。

夕食時に、父の達夫と顔を合わせた。若者のことを尋ねたかったが、結局口には出せなかった。切りだす口実がなかったからだ。

試験勉強にはあまり集中できなかった。明日も同じぐらいの時間に帰ってこれるだろうから、工場を覗いてみよう――そんなことばかり考えていた。

案の定《じょう》、翌日の試験もあまり良い手応えは得られなかった。しかしもう一方の目論《もくろ》みは当たった。帰宅途中に工場の前を通りかかると、前日と同じように例の若者が木箱に座っていたのだ。彼は何かの書物を手にしていたが、それを読むことなく、ぼんやりと遠くに視線を向けている様子だった。由里奈は立ち止まりはしなかったが、少し歩みを遅くした。昨日のように目が合ったら気まずいなと思いながら、一方ではそれを期待する気持ちもあった。だが結局、彼の目が彼女を捉えることはなかった。

彼に関する情報を得られたのは、それからしばらく経った頃だった。夕食時に達夫が、「五月に入ってきた高卒の男の子」について母に話しだしたのだ。達夫によれば、「かなり使える」らしい。

「物覚えがいいだけでなく、応用がきく。一を聞いて十を知るってやつだ。あれは拾い物だ。大事に育てないといかん」箸を動かしながら、達夫は自分の言葉を嚙みしめるように、うんうんと頷いた。

「そんなに優秀な子なのに、どうして大学に行かなかったのかしらねえ」

不思議そうに訊いた母の顔を、父はげんなりしたように見た。

「おまえは今まで何を聞いてたんだ。両親は亡くなってると前にいっただろうが」

「あっ、そうだったわね。それで、お兄さんに養ってもらってたんだったっけ」

「お兄さんじゃなくてお姉さんだ。そのお姉さんもこの春に亡くなって、それであいつが働かなきゃいけなくなったんだよ」

「そうそう。ほんとにかわいそうよねえ。でもえらいわねえ、一人でがんばるなんて」

母は感じ入ったようにいった。

二人のやりとりを聞きながら、由里奈は彼の顔を思い浮かべていた。翳《かげ》りのある表情の理由が少しわかったような気がした。力になってやりたいと思ったが、自分に出来ることなど何ひとつ思いつかなかった。

それからしばらく、由里奈が彼の姿を見ることはなかった。やがて高校は夏休みに入った。自分の部屋でスマートフォンをいじっていると、父の達夫から電話がかかってきた。事務員が休みだから電話番をしてくれというのだった。トモちゃんという愛称の事務員は気の良いおばさんだが、子供の具合が悪いとかいってすぐに会社を休む。

「えー、またあ？ お母さんにいえば？」由里奈は不機嫌な思いを声に載せた。

「お母さんはあれだろ。鈍臭《どんくさ》いっつうか、ドジっつうか、とにかく気が利かないんだ。前に由里奈が電話番をしてくれた時にさ、先方から評判がよかったんだよ。若い女性の声を聞けると気分がいいって。だから頼むよ。バイト代は出すからさ」頼み事をする時の父の声は、気味が悪いほどに優しげだ。

面倒臭いと思ったが、お金を貰えるのなら話は別だ。それに達夫のいっていることもわかる。何事につけ要領が悪い母に電話番を任せるのは不安だ。相手の名前を確認しないままに電話を切ることだってある。

普段着のままで会社の事務所へ行くと、たまにかかってくる電話の応対をしながら、トモちゃんの机を借りて夏休みの宿題を片づけることにした。三年生になれば宿題はないそうだが、由里奈たち二年生には出される。

事務所には、いろいろな人間がいる。しかし誰も由里奈には声をかけてこなかった。彼女が社長の娘で、電話番の手伝いをしているだけだということを知っているからだ。彼女も周囲を気にしたりはしない。子供の頃から出入りしている場所で、自宅の一部のようなものだ。

だから事務所で一人きりの時、誰かが入ってくる気配がしても、由里奈は顔を上げなかった。彼女の目は数学の問題に向けられたままだった。しかし解こうとして考えているわけではなかった。この問題を解かずに提出した場合、数学教師がどのような反応を示すかを考えていた。少し叱られる程度ならまあいいか、という結論に達しつつあった。

その時だった。「コサイン2エックスは2コサイン2乗エックスマイナス1」という呟きが由里奈の頭の上から聞こえてきた。

驚いて顔を上げ、すぐそばに立っている作業服姿の若者が例の彼だと気づき、どきりとした。瞬間的に体温が上昇した。

彼は照れたように頭に手をやり、机の上に広げられていた数学のプリントを指した。

「加法定理……ですよね」

「あ、そうかも」

加法定理——そういうものがあることは知っている。使い方はわからない。

「結構、一般的な問題だと思うけど」問題を見て、彼はいった。

「解けます?」彼女は上目遣いをした。

たぶん、と彼は答えた。

彼はシャープペンシルを手に取ると、立ったままでさらさらと数式を書き始めた。考えている気配すらない。何かを書き写しているだけのように見えた。もしかすると彼の頭の黒板には、とうの昔に答えが書き記されていたのかもしれない。

「これで合ってると思うけど」書き終えてから彼はいった。

解答を見て、すごーい、と由里奈は目を見張った。「数学、得意なんですか」

「まあ、わりと」彼は恥ずかしそうに微笑《ほほえ》んだ。

「じゃあ、これは？」由里奈は別の問題を見せた。

彼は設問を一瞥しただけで、解答欄への書き込みを始めた。やはり、腰を下ろすことさえしない。ほんの数分で解き終えてしまった。

お父さんがいってた通りだ、と由里奈は思った。とてつもなく優秀な人材なのだ。

「頭、いいんですね」

「そんなことはないです。あの、社長のお嬢さんですよね」

「はい……」小声で答えた。お嬢さん、といわれたのが恥ずかしかった。

「今年入社したコシバといいます。よろしくお願いします」彼はそういって頭を下げた。

胸につけたネームプレートに、『古芝』とあった。

「あ……こちらこそよろしく」

由里奈が挨拶を返した直後、事務所のドアが開いてベテランの従業員が顔を覗かせた。

「行くぞ、シンゴ」

はい、と返事した後、彼は由里奈に会釈《えしやく》してから出口に向かった。その後ろ姿を見送った後、彼女は従業員名簿に手を伸ばした。

彼のフルネームは、古芝伸吾だった。

その二日後、昼休みを見計らって、由里奈は工場を訪れた。彼女の手には数学の問題集があった。敷地内を覗いてみると、伸吾はいつもの場所にいた。コンビニの弁当を食べ終わったばかりらしく、ゴミを片付けていた。作業着を脱いでいて、半袖のTシャツ姿だった。むき出しになった二の腕が眩しかった。

幸い、ほかの従業員は見当たらなかった。暑いから屋内にいるのだろう。由里奈は思い切って、こんにちは、と声をかけた。彼は彼女のほうを向き、こんにちは、と笑顔で応じてくれた。

「ちょっといいですか」そういって数学の問題集を見せた。

ああ、と得心したように伸吾は頷いた。「いいですよ」

彼がいつも椅子代わりに使っている木箱に並んで座り、由里奈が解けないでいる数学の問題を見せた。

「因数分解か。この手の問題にはセオリーがあるんです」伸吾はシャープペンシルを手にすると、さらさらとノートに解法を書いていった。書きながら、一つ一つの手順を説明してくれた。

彼の解説は丁寧で、わかりやすかった。何だか自分の頭が良くなったような気さえした。

「数学以外に何が得意なんですか」由里奈は訊いた。

「物理と化学、それから英語かな」伸吾は首を傾《かし》げながらいった。「国語と社会は、はっきりいってあんまり得意じゃない」

「典型的な理系なんだ。でもそんなに頭が良いんだから、どこの大学でも受かりそう」

口に出してから、しまったと思った。

しかし伸吾は不快さを顔に出すことなく、笑顔のまま時計に目を落とし、腰を上げた。

「そろそろ戻ります。またいつでも来てください。俺も楽しいので」

はい、と由里奈は答えた。楽しい、といってくれたことが嬉しかった。

この日以後、勉強を教えてもらいにしばしば工場へ行くようになった。伸吾はどんなに難解な内容でも、できるだけわかりやすく説明しようと言葉を選んでくれた。由里奈が理解できるまで、粘り強く教えてくれた。それどころか、わからないからもういいと彼女が匙《さじ》を投げようとすると、諦めちゃだめだと諫《いさ》めるのだった。

「一度諦めたら諦め癖がつく。解ける問題まで解けなくなるんだ」

そして由里奈が理解できるまで、一から丁寧に説明してくれる。それらの行為が彼の優しさからくることに彼女は気づいた。親以外で、これほど自分のことを大切に扱ってくれた人間はいない、と思った。

ある夜、達夫から、「古芝君と会ってるそうだな」といわれた。誰かから聞いたのだろう。

「夏休みの宿題を手伝ってもらってるだけだよ」由里奈は口を尖《とが》らせた。

「そんな顔をしなくたっていいだろう。別に叱ってるわけじゃない。むしろ、いいことだと思ってる。あいつは本当に頭がいいからな。働きながらでも大学に行ったほうがいいと思うんだけど、本人にその気がないんだから仕方ないわな。今は仕事を覚えることしか頭にないらしい。若いのに大したもんだ」

達夫によれば、伸吾は一刻も早く仕事に慣れるため、業務後に一人で工場に残り、機械操作や金属加工の練習をしているのだという。また、運転免許を取得するために教習所にも通っているそうだ。

「あいつが順調に育ってくれれば、うちの会社も安泰なんだけどな」伸吾への絶賛を、達夫はそんな台詞で締めくくった。

それから数日後だった。その日も達夫に頼まれ、由里奈は事務所で電話番をしていた。すると昼頃になって一人の男性が訪ねてきた。年齢は四十歳前後だろうか。背が高く、眼鏡をかけた男性だった。その時、事務所には由里奈しかいなかった。

「こちらに古芝伸吾君という若者がいると思うのですが」男性がいった。

伸吾の名を聞き、わけもなく鼓動が速くなった。

「いますけど、今はまだ仕事中です。うち、昼休みは十二時十五分からなので」

時計の針は十二時を少し過ぎたところだった。男性は昼休みを狙ってやってきたのだと思われた。

「そうですか。彼に会いに来たのですが、待たせてもらっても構いませんか」

「あ……いいと思います。よかったら、そちらで」由里奈はパーティションで仕切られた応接スペースを指した。

「そうですか。では、お言葉に甘えて」男性は会釈をしてから移動した。

来客があった時には飲み物を出すようにいわれている。由里奈はペットボトルのお茶をグラスに入れ、トレイに載せて運んだ。すると男性は椅子に腰掛けておらず、棚に並べられた金属加工品のサンプルを眺めていた。

どうぞ、といって彼女はグラスを机に置いた。

「ああ、どうかお気遣いなく」男性は恐縮した様子でいった。それから見ていたサンプルを手にし、「これはこちらの製品ですよね」と訊いてきた。

「あ、そうだと思いますけど」

「見たところ、ホウデンカコウで作ったもののようだ。デンキョクは何を使ったか、御存じないですか」

えっ、と後ずさりした。男性が発した言葉の意味が、まるで理解できなかった。

「失礼。結構です」訊いた相手が悪かったと気づいたらしく、男性はサンプルを棚に戻した。「ところで、彼はどうですか」

「彼って……」

「古芝君です。元気にやっていますか」

「ええ、そうですね。元気だと思いますけど」

「仕事には慣れたみたいですか」

「それは……はい、すごくよくがんばってくれてるって父もいってますし」

彼女の言葉に、男性の日が少し大きくなった。「こちらのお嬢さんですか」

「そうです。今は夏休みだから、手伝ってるんです」

「なるほど」男性は得心したように頷くと、椅子に腰を下ろし、白いビニール袋を机に置いた。中に折り詰め弁当らしきものが入っているのが透けて見えた。伸吾への土産かもしれない。

彼が何者なのか、伸吾とどういう関係なのかを訊きたかったが、どう切り出せばいいのかわからなかった。それと由里奈がトレイを持ったまま黙っていると、「後輩なんです」と男性はいった。

「えっ？」

「古芝君は、僕の高校の後輩なんです。入っていたサークルが同じで、彼が現役時代にOBとしてアドバイスしたことがあります」

「あ、そうなんですか。サークルって何かのスポーツですか」

「いや、物理研究会という地味な集まりです」

「物理……へええ、あ、でも、古芝君らしいかも」

男性は、口元に運びかけていたグラスを止めた。「彼のことをよく知っているんですね」

「あ、いえ……そんなには知らないですけど、彼は頭がいいってみんながいうから。勉強を教えてもらったこともあるし」

「勉強を？」

「はい、あ、でも、ちょっとだけです」

男性が興味深そうな視線を向けてきた。少ししゃべりすぎたかもしれない。失礼しますと頭を下げ、その場を離れた。

それから間もなく昼休みに入った。工場から従業員たちが出てくるのが見えたので、由里奈は立ち上がった。

事務所を出ると、古芝伸吾が一人で歩いていた。彼はいつも近くのコンビニで弁当を買う。声をかけ、客が来ていることを伝えた。

「お客さん？」

「ずいぶんと歳上の人。でも高校の先輩だって……サークルが同じで」

ああ、と伸吾は頷いた。思い当たることがあるようだ。

彼が事務所に入っていくので、由里奈も後をついていく形になった。

応接スペースで、伸吾は男性客と対面した。二人とも笑顔で、会えたことを喜んでいるように見えた。由里奈は何となく安堵《あんど》した。

伸吾にもお茶を出してあげることにした。グラスに入れて運んだ時、二人の会話が耳に入ってきた。伸吾は男性のことをユカワ先生と呼んでいるようだった。だから職業は教師なのかなと思った。

由里奈が席に戻ると達夫が近づいてきて、「あれは?」と訊いてきた。

「古芝君の高校の先輩らしいよ」由里奈は小声で答えた。

「ふうん、やけに歳の離れた先輩だな」

「サークルのOBでもあるみたい。物理研究会だって」

「物理? あいつらしいな」達夫は先程の由里奈と同じことをいった。

伸吾と男性は二十分ほど話した後、腰を上げた。事務所を後にする時、男性は由里奈たちに会釈を寄越した。

その後、由里奈が外に出てみると、伸吾が建物の陰で佇《たたず》んでいた。手には男性が持ってきた折り詰め弁当が提《さ》げられている。しかし彼はそれを食べようとせず、物思いにふけっているようだった。その表情は暗く、辛《つら》そうで、由里奈は声をかけられなかった。

やがて夏休みが終わり、二学期が始まった。ある日、遠方から親戚が上京してきたので、皆で食事に出ることになった。由里奈が両親と共に家に帰ってきたのは、午後十一時前だ。家の前まで来ると、人影が立っている。すぐに誰だかわかったので、あっと小さく声を漏らした。

古芝君、と達夫がいった。「どうしたんだ？」

伸吾は、ぺこりと頭を下げた。「鍵を返しに来たんです」

「鍵？　ああ、事務所の鍵か。今日は皆で出かけるから、持ち帰ってくれていいといったじゃないか」

「はい。でも、もしかしたらお帰りになってるかもしれないと思ったものですから」そういって彼は鍵を差し出した。

「そうか、ありがとう。いやしかし、こんな時間までやってたのか。あまり無理するなよ」

「つい夢中になっちゃって。大丈夫です。では、おやすみなさい」

「ああ、おやすみ」

伸吾はちらりと由里奈のほうに視線を投げてからもう一度頭を下げ、くるりと踵《きびす》を返して歩きだした。その背中を見送りながら、大したもんだ、と達夫が呟いた。

「毎日のように居残りをしているみたいだな。おかげで、うちにある機械を殆ど全部使いこなせるようになった。もう一級品の職人だとみんな舌を巻いてるよ」

「よかったわねえ。安いお給料でベテラン並みの仕事をしてくれるなんて」母がいう。

「呑気《のんき》なことをいってられるのも今のうちだ。給料が安いままだと、出ていかれちまう。今時の若いやつはドライだからな」

達夫の言葉を聞き、由里奈の胸中にさざ波が立った。古芝伸吾が突然いなくなる可能性もあるのだ、と当然のことに気がついた。

伸吾の様子を覗いてみようと思ったのは、それから一か月ほどが経った頃だ。相変わらず彼は工場に居残り、金属加工の修業に勤《いそ》しんでいるという話だった。

とはいえ、伸吾がどんなことをしているかに興味があったわけではない。彼と二人きりになりたかっただけだ。

こっそりと家を抜け出し、工場に向かった。途中でコンビニに寄り、温かいお茶とおにぎりを買った。差し入れのつもりだ。

会社に行ってみると、工場に伸吾の姿はなかった。おかしいなと思って周囲を見回してみると、今はめったに使われず、倉庫代わりになっている作業場から明かりが漏れていた。由里奈は扉の隙間から中の様子を覗いた。

作業着姿の伸吾が見えた。だが彼は機械操作もしていなければ、金属加工もしていなかった。彼の前にあるのは、これまでに由里奈が見たことのないものだった。

金属の長い板、太いケーブル、複雑そうな電気機器、そんなものが無秩序に組み合わされていた。いや無論秩序はあるのだろうが、由里奈にはそう見えた。

やがて伸吾は、その不思議な物体から離れた。安全眼鏡をかけている。それで、何か危険なことを始めるのだと察した。

次の瞬間――。

衝撃音と共に物体から火花が溢《あふ》れた。その音は由里奈の身体を硬直させ、閃光は目眩《めまい》を起こさせた。彼女は持っていたコンビニの袋を落とした。

5

テーブルの上には、まだ料理がたっぷり残っていた。飲み放題の酒も余っている。それでももう誰も箸を伸ばそうとしなかったし、空のグラスを満たそうともしなかった。

「もういいんですか、皆さん。そろそろ到着ですよ。思い残すことなく、食べて、飲んでください。もったいないですから」入社して三年目の幹事役の社員が、皆に声をかけた。

「いやあ、さすがにもう食えねえなあ」畳の上で両足を投げ出した先輩社員がいった。かなり飲んだらしく顔は真っ赤だった。「あの天ぷらが効いた。うまかったけど、あんなに量が多いとは思わなかった」

そうそう、と隣の女子社員が同意する。

「年末年始で太っちゃった分を早く落としたいのに、これでまた増えちゃう。どうしてくれるのよ」

ははは、と別の社員が笑う。

「そんなことをいいながら、年明け早々、女子会ばっかり行ってるって話じゃないか」

「あれはね、大丈夫なんです。きちんとお店を考えてますから。ダイエットメニューのお料理とか、コラーゲン鍋とかしか食べないんです。それなのに今日は、カロリーの高いものばっかり出るんだもの」

「あんなこといわれてるぞ。おい幹事、何とかいってやれ」

幹事役の若手は、頭を掻いた。

「参ったなあ。これでも料理の質で選んだつもりなんですけどね。まあいいです。食事とお酒は十分に堪能したということでしたら、あとは景色を楽しんでください。皆さん、きちんと御覧になりましたか。もう着いちゃいますよ」

彼に促され、総勢十八名が一斉に窓の外に目をやった。

隅田川を進む屋形船の中だった。今夜は職場の新年会で、幹事役を命じられた若手社員は、皆の希望を聞き、屋形船を手配したのだった。

午後八時半に出航した時は、各種のイルミネーションや建物の照明で、きらびやかだった隅田川沿いの夜景も、十一時近くになってさすがに暗さが勝ってきた。宴会をお開きにするタイミングにも合っていた。

「今年は、いい年になるといいなあ」課長が外を眺めながらしみじみとした口調でいった。

どうですかねえ、とベテラン社員が首を傾げる。

「今年こそ景気対策に本気で取り組むって、テレビで首相がいってましたけど」

「あいつは去年もそんなことをいってたからなあ。年始の挨拶みたいなもんじゃないのか。あけましておめでとうございますってのと同じだ」

「つまり今年も代わり映えしないってことですか」

「そうじゃないのか。まあ、あまり期待せず、自分たちなりにがんばるしかないってことだろうな」

課長たちのやりとりもまたお開きにふさわしいものになってきた。

「では課長、このあたりで締めの御挨拶をお願いできますか」幹事役の若手はいった。

「おお、そうか。わかった」

全員が居ずまいを正した。

課長が咳払いをし、全員を見回した。

「ええと、去年もいろいろとあったけど、何とか我が課はノルマを果たしたし、それなりの結果も残しました。今年はどんな年になるかはわかりませんが、全員で力を合わせて、困難を――」

そこまで課長がしゃべった時だった。

何かが激しく破裂するような音がした。操舵室のほうからだ。その直後、人の騒ぐ声が聞こえた。

何事かと思い、幹事役の社員は様子を見に行こうとした。すると血相を変えた屋形船の従業員が出てきて、ぶつかりそうになった。

社員は前を見て、息を呑んだ。操舵室が煙に包まれていた。

6

車から降りると身体が震えた。雛祭りを過ぎたというのに、まるで真冬の気温だ。

「ううー、寒い。どうして今年は、いつまでもこんなに寒いんだ。暖冬が恋しいねえ」

首をすくめて歩きながら草薙《くさなぎ》はいった。

「そんなことをいったら、湯川先生に叱られますよ」同行してきた内海薫《うつみかおる》が、草薙の友人の名前を出した。「あの方は地球温暖化を本気で心配しておられますから」

「ふん、温暖化の原因を作ったのは、奴ら科学者じゃないのか」

「それは認めておられるみたいです。だから科学者は反省すべきだと」

「へえ、珍しいな」

「どんなに素晴らしい科学技術を生み出しても、使う人間が愚かだと世界はだめになる。そのことを肝に銘じなきゃいけないと先日いっておられました」

「まっ、あいつのいいそうなことだな」

問題のマンションは向島《むこうじま》にあった。入り口に数名の警官が立っていて、出入りする人間をチェックしている。居住者にとっては迷惑な話だろう。

「古いマンションだなあ。オートロックじゃないのか」草薙は建物を見上げ、ため息まじりにいった。灰色の壁にひびが走っている。

「防犯カメラは期待しないほうがよさそうですね」内海薫が草薙の考えていることを口にした。

現場は三階の一室だった。鑑識の主立った仕事は一通り終わっているということなので、草薙たちも中に入った。遺体はすでに運び出されている。

「お疲れ様です」先に来ていた後輩刑事の岸谷が、ひょいと頭を下げた。

「すごい部屋だな」室内を見回し、草薙はいった。

間取りは1LDKだが、居間部分は大半が事務所として使用されていた。壁にスチール棚が置かれ、ファイルや書物が並べられていた。事務机の上は、パソコンの前以外は本や書類でいっぱいだ。足元にも同様のものが積まれている。椅子の背もたれに、グレーのスーツと皺だらけのワイシャツが掛けられていた。

隅に置かれたダイニングテーブルは二人で使うのがやっとという小ささで、ウーロン茶のペットボトルと紙コップが載っていた。

被害者は長岡修という三十八歳の男性だと岸谷はいった。

「トレーナーにジーンズという格好でした。財布は盗まれておらず、中に免許証が入っていました。名刺入れも見つかっておりまして、フリーライターを職業にしていたようです」

「遺体を見つけたのは？」

「交際していた女性です。二日前から連絡がなく、メールを送っても返事がないので、気になって見に来たところ、倒れているのを見つけたということでした。合鍵を持っていたそうです」

「ふうん」草薙は人の形に紐が置かれている床に目を落とした。「今、その女性は？」

「病院です。ショックが大きく、話は聞けそうにありません」

だろうな、と納得した。「よく警察に通報できたものだな」

「一一〇番するのが精一杯だったらしいです。泣くばかりで住所もいえなかったとか」

「それでどうしたんだ」

「幸い、この部屋の固定電話からかけていたので場所を特定できたようです。近くの交番から警官が駆けつけ、事態を把握したというわけです」

「なるほど」草薙は机の隣に目を向けた。キャビネットの上にファクスが載っている。仕事柄、固定電話も必要なのだろう。「死因は？」

「絞殺《こうさつ》のようです。背後から絞められた痕が残っていました」

「凶器は？」

「見つかっておりません。鑑識さんの話では、幅の広い布、ネクタイではないかということでした」

「犯人が持ち去ったってことか」

「おそらく」

「指紋は？」

「被害者でない人物のものがいくつか見つかっています。ただ、ところどころに布のようなもので拭いた跡があるそうです。テーブルの上とか」

草薙は顔をしかめ、鼻の上に皺を寄せた。指紋から犯人を特定するのは無理のようだ。

「ケータイは？　スマホとかタブレットとか」

「今のところ、いずれも見つかっておりません。たぶんそれらも犯人が持ち去ったと思われます」

それは仕方ない、と草薙は頷く。財布が盗まれていないのだから、おそらく犯人は顔見知りだ。メールや電話でのやりとりもあったと考えられるから、その痕跡を消そうとするのは当然のことだ。

内海薫が若い鑑識課員とパソコンの前で何やら話していた。彼女の手には小さなメモリーカードがあった。

「何だ、それ」草薙は訊いた。

「パソコンの横に置いてあったんです。鑑識さんに中身を確認してもらっていいですか」

「やってもらおう」

草薙がいうと、若い鑑識課員は内海薫から受け取ったメモリーカードをパソコンにセットし、慣れた手つきでキーボードを操作した。やがて液晶モニターに、奇妙な映像が映し出された。

「何だ、これは」草薙は思わず呟いていた。

画面はやけに薄暗かった。映っているのは倉庫のような建物だ。灰色の壁が見える。人の姿はない。

「日付は二月二十一日の午前一時過ぎ……夜中ですね。場所はどこでしょうか」

内海薫の疑問に、さあ、と草薙が気のない返事をした時だった。突然、画面の中心が白くなった。煙が舞っている。

「何だ?」草薙は画面に顔を近づけた。

やがて煙が薄くなってきた。建物がぼんやりと見えてくると、あっと内海薫が声を漏らした。

建物の壁に穴が開いていた。


向島署に特捜本部が開設されることになった。殺人事件であることは明らかだったからだ。部屋のドアは施錠されていたが、室内から鍵は見つからなかった。被害者を殺した犯人が、遺体の発見を遅らせるために施錠したと考えるのが妥当だった。

死因は窒息。死後四十時間から五十時間といったところだという。繊維の跡などから、やはり凶器はネクタイの可能性が高いらしい。

「室内で背後から絞殺か。さほど争った形跡もないようだから、隙をついていきなり襲ったということか。やはり、顔見知りの犯行と考えて間違いなさそうだな」草薙の上司である間宮《まみや》が、そういって太い腕を組んだ。捜査会議が始まる前に、直属の部下を集めて大体の方向性を決めておこうということらしい。会議では、間宮が進行役を務める。

「計画性はどうでしょう?」草薙が訊く。

「俺は衝動的な犯行だという気がします」

「どうだろうな」

「ほう。その根拠は?」

「椅子の背もたれに、脱いだスーツとワイシャツが掛けられていました。ところがネクタイは見当たりませんでした。ワイシャツはともかく、スーツを脱ぎ捨てたままで、ネクタイだけきちんとしまうっていうのは、あまり考えられません。犯人が犯行に使った後、持ち去ったのではないかと思います。つまり犯人は事前に凶器を用意していなかったということです」

間宮が、しげしげと草薙の顔を眺めた。「なかなか鋭いじゃないか」

「断定はできませんけど」

「いや、その説に一票だ。問題は動機だな。部屋で会うほど顔見知りの人間が、衝動的に相手を殺すっていうのは、どんな時だ」

「何か計算外のことをいわれた時とかでしょうね。脅されたとか」

「被害者が犯人を脅したというのか」

「たとえばの話です」草薙はいった。「フリーライターという職業柄、他人の秘密を知る機会も多かったんじゃないですか」

「なるほど。最近、どんなネタを追ってたか、まずはそれを明らかにすることだな」間宮は鼻毛を抜こうとした。抜き損ねたらしく、痛みに顔をしかめている。

「仕事で付き合いのあった人間を当たってみましょう。編集者とか、新聞記者とか。それから、被害者が残した資料の類《たぐ》いは、とりあえず全部運び出しました。あれを片っ端から調べてもいいんじゃないでしょうか。かなりの量なので、人手を割く必要がありますが」

「仕方がないだろうな。あとは現場付近の聞き込みと防犯カメラのチェック、人間関係の洗い出し、そんなところか」

「そうでしょうね。携帯電話が見当たりませんが、領収書からスマートフォンであることがわかっています。電話会社にGPSによる場所特定を依頼していますが、犯人も馬鹿ではないと思いますから、あまり期待はできないでしょう。発信履歴については提出するよう要請しました」

草薙がいった後、「あれはどうしますか」と横から声がした。内海薫だ。

「あれって？」

「被害者の部屋にあったメモリーカードです。建物の壁が突然壊れるという奇妙な動画が入っていました」

「あれ、関係あるかな」草薙はいった。

「ないとはいいきれないと思うんですけど」

「何の話だ」

間宮が訊いたので、草薙が説明した。強面《こわもて》の上司は十秒ほど考え込んだ後、「会議では上げない。おまえに任せる」といった。

わかりましたと答えつつ、またそれかよ、と内心ではぼやいた。面倒臭い話になると、いつも判断を押し付けられる。

それから間もなく管理官や署長らが姿を見せ、第一回の捜査会議が行われた。進行役の間宮は事件の概要を説明しつつ、時折私見だと断った上で自分の考えを述べた。その中には、被害者がスーツを出しっ放しにしておいてネクタイだけを片付けたとは考えられない、という話も入っていて、草薙は椅子から落ちそうになった。

7

本格的な捜査は、遺体発見の翌朝から始まった。

内海薫は被害者である長岡修の交際相手から話を聞くよう命じられた。すでに退院しているということなので、事前に連絡した後、豊洲にあるマンションを訪ねていった。

こぢんまりとした1LDKで、ダイニングテーブルを挟んで向き合った。

交際相手は渡辺清美といった。仕事は美容整形外科の受付で、長岡とは取材を通じて知り合ったのだという。今日は仕事を休ませてもらったらしい。

「長岡さんと連絡が取れなくなっていたそうですね」

薫の質問に、渡辺清美は青白い顔で頷いた。

「食事をする約束をしていて、彼から連絡がくるはずだったんです。でも何もいってこないので、おかしいなと思って電話をかけました。だけど繋がらないし、メールを出しても返事がこないし……。今までそんなことは一度もなかったから、仕事を早退して、様子を見に行くことにしたんです」

「部屋に着いたのは何時頃ですか」

「午後四時……ぐらいだったと思います」

警視庁の通信指令室に残っている記録では、彼女から通報があったのは午後四時十三分となっている。死体を見て取り乱したらしいが、前後の記憶は確かなようだ。

「御承知だと思いますが、私たちは今回の事件を他殺、つまり殺人の疑いが濃いと考えています。そこでお尋ねしたいのですが、何かお心当たりはありませんか。最近、長岡さんが悩んでいた様子だったとか、何かに怯《おび》えていたとか」

清美は力なく首を振った。

「何もありません。こちらが訊きたいぐらいです」

「長岡さんと最後に会ったのは、いつですか」

「先々週の金曜日だったと思います。だから、ええと……」

薫は手帳に付いているカレンダーを確認した。「二月二十日ですね」

「ああ、そうです。彼が、ここへ来たんです」

「その時、いつもと何か変わった様子はなかったですか」

「特になかったと思うんですけど。ただあの時は、あまりゆっくり話もできなかったので、あたしが気づかなかっただけかもしれないけど」

「というと?」

「夜の十一時頃だったと思いますけど、彼から急に電話があって、今から行ってもいいかと訊かれたんです。夜遅くに取材に行く必要があるんだけど、中途半端に時間が空いてしまったからって。いいよといったら、間もなく彼が来ました。彼が出ていったのが十二時頃でしたから、一緒にいたのは一時間足らずだったんです」

「ずいぶん遅い時間の取材ですね。内容は聞きましたか」

「聞いてませんけど、張り込みかなと思いました」

「張り込み?」

「スクープを取るために、芸能人や有名人らが出入りする場所を見張るってことがよくあったみたいです。そういう時にはいつも背負ってるデイパックをあの夜も持ってたし」

「大変なお仕事ですね。まるで私たち刑事みたいじゃないですか」

そうですね、と答えてから渡辺清美は少し首を捻った。「あの時、ちょっと変なことをいってました」

「どんなことですか」

「若さってすごいな……だったかな。あっ、違います。若さって恐ろしいな、だったかも」

薫は口の中で今の台詞を呟き、「どういうことだと思いますか」と訊いた。

「わかりません。あたしも訊いたんです。何のことって。でも彼が、何でもないといったので、それ以上は訊きませんでした」

薫は手帳を開き、ひとつのメモに目を落とした。『2月21日　01：14』と記してある。例の奇妙な動画の日付だ。

今の渡辺清美の話からすると、二十日の夜に訪ねてきた長岡修は、その後、あの動画を撮影したということになる。

「行き先も聞かなかったのですか」

「聞いてないですけど……」

薫はスマートフォンを出した。「ちょっと見てもらいたいものがあるんですが」

「何ですか」

薫はスマートフォンを操作した。例の壁に穴が開く動画は、すでにこの中に取り込んであるのだ。液晶画面を渡辺清美のほうに向け、再生した。

「この動画に見覚えはありませんか」

渡辺清美は当惑した様子で首を振った。「初めて見ました」

「場所はどうですか。知っているところではありませんか」

「知らないです。これ、何なんですか」

「長岡さんの部屋にあったものです。何なのかわからず、私たちも困っています。よく思い出してみてください。二十日の夜、こちらを出た後、長岡さんはこの動画を撮影したと考えられます。本当に何も聞いてませんか」

「知らないです。わかりません、本当に」渡辺清美は涙声になっていた。

薫はスマートフォンをバッグに戻した。

「長岡さんと最後に会ったのは二月二十日の夜。それ以降、電話かメールでのやりとりはありましたか」

「電話では話してないと思います。メールは何度かしました」

「どういう内容ですか。差し支《つか》えのない範囲で結構ですが」

「別に大したことは……。何だったら、見ますか」

「見せていただけるなら助かります」

渡辺清美はスマートフォンを操作し、長岡からのメールや、自分が出したメールを見せてくれた。いずれも大した内容ではないが、長岡からのメールに頻繁に出てくるアルファベットに薫は気づいた。『ST』というものだ。『STの件で調べ物をしている』とか、『ST絡みで帰省中』といったふうに出てくる。

STとは何ですか、と薫は訊いてみた。

ああ、と渡辺清美は頷いた。「スーパー・テクノポリスのことです。御存じないですか」

「スーパー・テクノポリス……どこかで聞いたことはありますね。何だったかな」

内海薫の言葉に渡辺清美は寂しげな笑みを浮かべた。

「彼がよくいってました。地元の人間以外は誰も関心を持ってないって。あたしも、彼に教えられるまで聞いたことなかったし」

「すみません、勉強不足で。何でしたっけ」

「光原町に作られることになった施設です」

「光原町というと……」

内海薫は北関東の県名を挙げた。そうだ、と渡辺清美は答えた。

「詳しいことは知らないんですけど、日本の最新科学技術の拠点になるとか。大学や研究施設が集められたりして」

薫の頭に、ぼんやりとした記憶が浮かび上がってきた。かすかに聞いたことのある話だ。

「長岡さんは、その取材をされていたんですか」

「そうです。反対運動を兼ねて」

「反対運動？」

「彼は光原町の出身なんです。それがきっかけでスーパー・テクノポリスについて取材を始めたそうですけど、いろいろと問題があることがわかってきて、次第に反対運動に力を入れるようになったといっていました」

「その件で最近何か変わったことがあったとか、聞いてませんか」

渡辺清美は額に手を当てて考え込んでいたが、結局は力なくかぶりを振った。

「特に思いつくことはありません。彼、仕事のことはあまり話してくれなかったし」

「長岡さんは仕事柄、多少危険な取材もしておられたのではないですか。そういった類いの話を耳にしたことは？」

「ないです。もしかしたらそういうこともあったかもしれませんけど、あたしは聞いてません」口調に少し苛立《いらだ》ちが含まれるようになっていた。質問されるのが煩《わずら》わしいのではなく、恋人のことをろくに知らなかった自分に腹を立てているようだった。

「では最後にもう一つだけ。先程、デイパックの話が出ましたよね。長岡さんが取材をする時には必ず持っていたとか。その中にどんなものを入れておられたか、御存じありませんか。たとえば手帳とかデジカメとか」

ああ、と渡辺清美は口を小さく開いた。

「手帳は持っていました。黒いカバーの分厚い手帳です。デジカメも持っていました。機種は覚えていません。ボイスレコーダーも必需品だといってました。少なくとも二台は必要だとか。それから最近はタブレットも持ち歩いていたはずです」

「タブレット……ね」

手帳、デジカメ、ボイスレコーダー、タブレット――長岡修の部屋にあったディパックには、いずれも残されていない。

8

内海薫からの報告を聞き、「やっぱりその話が出たか」と草薙は渋面《じゅうめん》を作った。「スーパー・テクノポリス計画の話が」

「やっぱりというと?」

草薙は手元の書類に目を落とした。

「スーパー・テクノポリス計画。光原町を最先端の科学技術を扱う研究所の集結場所にしようっていう計画だ。研究者たちの居住地が作られるのはもちろんのこと、科学を扱ったレジャーランドも建設される予定だ。宿泊施設も作られるらしい。キャッチフレーズは、『ようこそ科学の町へ』。だっせえなー」

内海薫は苦笑を浮かべた。「文系の人間には、聞いているだけで胸焼けがしそうな計画ですね」

「同感だ。被害者の部屋にあった資料やパソコンを調べたところ、スーパー・テクノポリス計画に関するものがたくさん見つかった。どうやら最近の主な取材対象だったと思われる」

「渡辺さんの話では、光原町出身の長岡さんは計画に反対だったとか」

「そのようだな。これを読んでおけ」草薙は持っていた書類を内海薫に差し出した。

「長岡さんのパソコンに残っていたテキストをプリントアウトしたものだ」

「『ST計画について』……ですか」内海薫が表紙の文字を読んだ。

「スーパー・テクノポリス計画の詳しい内容と、計画が立てられた経緯、計画立案に関わった人間や企業と彼等の繋がりなんかを書き記してある。これを読めば、長岡さんがいかに綿密に取材を重ねてきたかがわかる」

フリーライターだった長岡は、いくつかの週刊誌や雑誌と契約し、様々な仕事をこなしていたようだ。だがいずれも先方から依頼されたもので、彼自身が関心を持っていたとは思えない。ところがスーパー・テクノポリス計画についての調査だけは、彼が自主的に行っていたようなのだ。そのことは内海薫がいうように、彼が光原町出身だという事実と無関係ではないだろう。

パソコンには、ほかにもレポートが残っていた。それらの中で長岡は、維持費がかなりかかり、税金の無駄遣いに終わる可能性が高いことや、全国から研究機関を誘致することになっているが、どれだけ集まるかは未だにわかっておらず、果たして最先端の研究拠点として成立するのかどうかも不明だ、といったことを指摘している。特に問題にしているのが環境破壊の点で、施設の予定地として名前が挙がっている地域の多くは野生生物の保護区と重なっており、建設が始まれば生態系が大きく変わるのではと危惧している。中でも糸山地区と呼ばれる場所に建設予定の通称G棟は、高レベル放射性廃棄物のガラス固化体を地層処分する技術を研究する施設らしく、万一大きな事故が起きた場合は放射能が外部に漏れ出すおそれがあるのではないか、と問題視していた。

おい、と間宮が呼びかけてきた。草薙は内海薫と共に上司の前に立った。

「どうだった、被害者の交際相手の様子は?」間宮が訊いた。

内海薫が渡辺清美の話をかいつまんで報告した。これといった手がかりがないからか、聞いている間宮の表情は冴えない。

「スマートフォンやタブレットだけでなく、手帳やボイスレコーダーといった取材道具がすべて部屋から消えているのが、やはり気になりますね」草薙はいった。「犯人が持ち去った、つまりそこに犯人にとって何か都合の悪い情報が入っていた、と考えていいんじゃないでしょうか」

「その可能性はあるだろうな」間宮は難しい顔つきで腕組みをしてから、草薙たちを見上げてきた。「さっき報告があったが、被害者はスーパー・テクノポリス計画だけでなく、大賀代議士個人のことも、かなり熱心に調べていたようだぞ」

「大賀代議士って、大賀仁策《じんさく》のことですか。元文部科学大臣の？」戸惑ったように内海薫が呟く。

「そうだ。スーパー・テクノポリス計画の発案者だ」草薙がいった。「光原町は、あの人の地元だよ」

「あ、なるほど」

「文部科学大臣をしていた頃からの悲願らしいぞ。大した産業のないあんな片田舎を、最新科学の拠点にすることが」そういってから草薙は間宮に視線を戻した。「新たに何か見つかったんですか」

「大賀代議士が過去に関わったといわれる公共事業について、かなり綿密に調べた形跡があるようだ。代議士の事務所、後援会、系列企業のことも取材している。何らかの不正を見つけ、そこからスーパー・テクノポリス計画を崩していこうと考えたのかもしれ

「さすがはプロのライター。なかなかの行動力ですね。それで、何か見つけられたんでしょうか」

「それはどうかな。ほかの者たちに詳しく調べさせているが、今のところ、特に気になる点は見当たらないようだ。ただ――」間宮は傍らに置いてあったファイルを手にした。「パソコンに奇妙な画像が残っていた」

「画像？」

「こういうものだ」間宮がファイルから二枚の写真を出してきて、机に置いた。

それは走っている車を後方から撮影したものだった。一枚は街中で、もう一枚はどこかの駐車場に入るところだった。

「写真はほかにも二十枚以上ある。写っている車は同じもので、すべて後方から撮られている。ナンバーから、車は大賀代議士のものと判明した。日付を見てみると、古いものだと二年近くも前だ。おそらく尾行したものと思われる」

草薙は首を捻った。「収賄《しゅうわい》の現場でも押さえようとしたのかな」

「まさか」間宮が顔をしかめ、手を振った。「尾行したからって、そんなでかいネタは拾えんだろ。たぶん大賀代議士の私生活を調べて、何らかのスキャンダルを摑もうとしていたんじゃないか」

「女性関係とか？」

「その可能性は大いにある。あの人種は、そっちのほうの欲望も強いらしいからな」間宮は写真をファイルに戻した。「いずれにせよ、まずは本人に訊いてみることだな」

「本人というと、大賀仁策にですか」

「議員を呼び捨てにするな。ほかに誰がいる？　大丈夫だ。上の許可は得てある」

「それはいいですが、誰に行かせますか。下っ端なんかを送り込んだら、失礼じゃないですか」

「当たり前だ。最低でも警部補だ」間宮が草薙の鼻先を指してきた。「つまりおまえだ」

「えー」

「心配するな。俺も付き合ってやる」

「参ったな。政治家は苦手なのに……」草薙は肩を落とした。

あのう、と内海薫がいった。「ちょっといいですか」

なんだ、と間宮が訊いた。

「例の映像について気になっていることがあります。長岡さんの部屋に残されていたメモリーカードに入っていた動画で、建物の壁に突然穴が開くというものです」

「あれか」間宮は、げんなりしたような顔をした。「おまえはやけに、あの動画にこだわってるな。あれがどうかしたか」

「動画には撮影日時が表示されていました。今年の二月二十一日、午前一時過ぎとなっていました」

「そうだったかな。で、それが何だ」

「渡辺清美さんが最後に長岡さんと会ったのは二十日の夜だそうです。取材前に時間が余ったから、といって部屋にやってきたとか」

間宮が少し関心を示す顔になった。「動画を撮影する直前というわけか」

「そうです。その夜の取材とは、あの動画を撮影することだったのではないでしょうか」

「そうかもしれないな。それで？」

「渡辺さんによれば、その夜、長岡さんは奇妙なことを発言したそうです。若さって恐ろしいな――とか」

「はあ？」間宮は口元を歪めた。「何だ、そりゃあ」

「わかりません。でも気になるんです。何のために、長岡さんがあんな動画を撮影したのか。そもそも、あの動画は何なのか」

何とも答えようがないらしく間宮が黙り込んだ時、別の捜査員がやってきて、間宮の耳元で何やら囁いた。

草薙は内海薫を目で促し、その場を離れようとした。だが、「待て」と間宮に声を掛けられた。

「おまえたちに行ってきてもらいたいところがある」

9

建物に足を踏み入れると懐かしい臭いがした。薬品が混ざり合ったような臭いだ。初めて来た頃は抵抗があったが、慣れてくると気にならなくなった。むしろ頭が冴えるような気さえするのは、この場所で会う相手の影響か。

ドアには相変わらず、行き先表示板が取り付けられていた。目的の人物は『在室』のところに磁石が張り付けられている。

草薙は内海薫を見て、顎を動かした。ノックしろ、という意味だ。彼女は右の拳《こぶし》でドアを二度叩いた。

どうぞ、と室内から声が聞こえた。失礼します、といって内海薫はドアを開けた。

部屋の主——湯川学は机に向かい、背中を見せるように座っていた。草薙は後ろから近づき、机の上を何気なく見てぎょっとした。レントゲン写真だったからだ。人間の胸部らしきものが写っている。

「おまえ、いつから医者になった？」

「癌細胞は正常な細胞に比べて熱に弱い」湯川が話し始めた。「癌細胞に磁性ナノ微粒子を集積させ、体外から高周波磁場をかけてやれば、誘導電流による発熱で癌細胞だけを焼き殺すことが可能だ。そういう研究を、現在医学部と共同で行っている」

「へえ、物理で癌治療か」

「というわけで、僕は現在大変忙しい」くるりと椅子を回転させ、湯川は二人のほうを向いた。「電話を貰った時には驚いた。君たちがここへ来ることは、もうないだろうと思ってたからね」

「来たかったわけじゃない。今回は上からの指示だ。指示には従わなきゃならない」

「ほう、君の上司がどんな指示を?」湯川は立ち上がり、流し台に近づいた。マグカップを並べているところを見ると、いつものようにインスタントコーヒーを振る舞ってくれるつもりらしい。

草薙は作業台のそばにある椅子に腰掛けた。

「おまえ、長岡修という人を知ってるだろ」

「ながおか……」湯川はコーヒーの粉をカップに入れる手を止めた。

「会ってるはずだ。二週間ほど前、電話も貰ってると思うが」

ああ、と湯川はゆっくりと頭を上下させた。

「あの人物か。そういえば、長岡といったな。彼がどうかしたのか」

「殺された。二日前に遺体で見つかった」

湯川の手が再び止まった。草薙のほうを見て、「犯人は？」と訊いてきた。

「現時点では不明。捜査中だ」

湯川は深呼吸をした後、カップに電気ポットの湯を注ぎ始めた。「それで？　もしかして、僕が疑われてるのか」

「そんなわけないだろ。しかし話を聞かせてもらう必要はある」

湯川が二つのマグカップを持ってきて、作業台の上に置いた。

「新しいカップを買い揃えた。内海君には黄色を使ってもらおう。草薙は、こっちだ」

「変な色だな」草薙は、もう一方のカップを手にした。赤とも茶ともつかぬ色だった。

「どどめ色というそうだ。使いたがる人間が少なくて困っている」湯川は流し台に戻り、黒いカップを手にした。「なぜ長岡さんが僕に会いに来たことがわかった？」

「携帯電話の発信履歴の中に、帝都大学の番号が残っていた。電話をかけたのは、二月の二十三日。そして名刺ホルダーの中から、おまえの名刺が見つかった」

「なるほど、そういうことか。聞いてみれば簡単なことだな」湯川は自分の席に戻り、腰を下ろした。

「長岡さんは、ここへ来たのか」

「そうだ。ちょっと教えてもらいたいことがあるといって電話をかけてきた。たまたま身体が空いていたので、その日に来てもらった」

「教えてもらいたいこととは？」

「こんなところへ芸能界やスポーツ界のことを訊きに来る人間はいない。もちろん物理現象に関することだった」

「具体的には？」

湯川は、ふっと口元を緩めた。「君が聞いても理解できないんじゃないか」

かちんときた。草薙が何かいい返そうとした時、先生、と内海薫が発言した。

「もしかして、これじゃないですか」そういって彼女はスマートフォンの画面を湯川のほうに向けた。

草薙も横から覗き込んだ。そこに表示されたのは、例の壁に穴が開く動画だった。

湯川の目が険しくなった。「どこでこれを？」

「長岡さんの部屋で見つかりました。メモリーカードに入っていたんです」

「そうか……」

「いかがですか。長岡さんも先生にこの動画を見せたのではありませんか」

湯川はコーヒーを口に含み、頷いた。

「君のいう通りだ。どういう現象かわかるかと尋ねられた。最近は、そんなふうに相談してくる連中が増えた。どうやら僕のことを怪奇現象の専門家だとでも思っているらしい。いうまでもないことだと思うが、すべて君たちのせいだ」

「だから最近は、あまり面倒なことには巻き込まないようにしているじゃないか」草薙は、うんざりしていった。

「あまり、ではなく、決して、にしてもらいたい」

「それで先生は、どのように説明されたのですか」内海薫が話を元に戻した。

「何とも」湯川は、素っ気なく首を振った。「それだけの動画では、何とも説明のしようがなかった。だから長岡さんにも、そのように答えた」

「長岡さん自身は、この動画について何かいっておられなかったのですか。どこでどんなふうに撮影したのか、とか」

「いや、何もいってなかったな。彼自身が撮影したものなのかどうかも聞いていない」

「先生は、何とも説明できない、とだけおっしゃったんですか。考えられることをいくつか挙げたりはしなかったんですか」

「考えられることとは？」

「たとえば……レーザー光線とか」

「レーザー？」眼鏡の奥の目が見開かれた。「それはまた奇抜な意見だな」

「草薙さんから聞いたことがあるんです。以前、人の頭が突然燃え上がる事件があって、それを先生がレーザー光線を使ったものだと見抜いたって」

「そんなこともあったな」湯川はにやにやして草薙を見た後、内海薫に目を戻した。「残念ながら、レーザーではそんなふうに壁を吹っ飛ばしたりはできない。レーザーを照射した部分から燃え上がるだけだ」

「そうなんですか」

「長岡さんには、何かの爆発で穴が開いたように見えるが、現場を見てみないことには何ともいえないと答えておいた」

「それで長岡さんは何と？」

「そうですか、といって帰っていった。それだけだ」そういってから湯川は草薙のほうに顔を向けた。「ほかに質問は？」

「それ以後、長岡さんから連絡は？」草薙が訊いた。

「ない。だから名前も忘れていた」

「そうか」草薙はコーヒーを飲み干し、カップを置いた。

「犯人がわからないということは、動機も不明なんだろうな」湯川がいった。

「そういうことだ」腰を上げてから、ふと思いついた。「ああ、そうだ。おまえ、スーパー・テクノポリス計画って知ってるか」

湯川の眉がぴくりと動いた。「光原町の？」

「やっぱり知ってたか」草薙は内海薫のほうを振り返った。「別世界だな。科学者の間では有名らしい」

「あれがどうかしたのか」

「長岡さんは、あの計画に反対で、いろいろと取材して回っていたようだ。といっても、今回の事件と関係しているかどうかはまだわからんのだがな」

「ふうん、あれについてねえ」湯川が遠くを見つめる眼差しをした。この男がこんな表情を見せるのは珍しい。

「どうかしたのか？　長岡さんがスーパー・テクノポリスについて何かいってたとか」

「いや、そんなことはない。それについては彼は一言もいわなかった。もういいかな。ほかに用がないのなら、僕は自分の作業に戻りたいんだが」湯川は、マグカップを片付け始めた。

「わかったよ。邪魔したな」

内海薫に目配せし、草薙はドアに向かった。

10

金網フェンスの扉には、関係者以外立ち入り禁止、というお決まりの札が掛かっていた。子供の頃から、こういうものを目にすると余計に入りたくなる性格だ。中には一体どんな面白いものがあるのだろうと期待してしまう。しかし殆どの場合、失望させられておしまいだ。おまけに見つかって叱られたこともしばしばだった。

だがここは違う。とっておきの場所だ。見つけてよかったと思っている。

「ねえサトル君、本当に大丈夫なの？」後ろからミカが心配そうに訊いてきた。

「大丈夫だって。こんな時間には誰もいないから」

サトルは扉を押した。鍵が壊れているので、簡単に開くのだ。

傍らに止めておいたバイクを押しながら、フェンスの内側に足を踏み入れた。ミカも後ろからついてくる。

「暗いね」

「だろ？　だからペンライトを持ってきてくれって頼んだんだ」

「あっ、そうか」

ミカがバッグからペンライトを取り出して点《つ》けた。足元が明るくなった。

左側にはコンクリートの壁が続いている。水嵩《みずかさ》が増した時には堤防の役割を果たすのだろう。右側は川だ。

壁の前に段ボール箱が置かれていた。洗濯機でも入っていたのか、ずいぶんと大きな箱だ。いい目印になる。サトルはその前にバイクを止めた。万一ライトを点けられなくても、段ボール箱なら暗がりの中でも見つけやすい。

ミカからペンライトを受け取り、前を照らしながら歩いた。途中から彼女の肩を抱き、引き寄せた。「寒くないか」

「平気。くっついてると暖かい」

立ち止まり、ペンライトのスイッチを切った。真っ暗になった。しかし暗いから見えるものもある。「空を見てみなよ」

えっ、と声を漏らしてミカが見上げた。「わぁ、奇麗」

夜空に星がちりばめられていた。今夜が晴天だということを確認した上で連れてきたのだ。感激してくれないと計算が狂う。

「宝石みたいだろ」

「うん……まあ、そうかな」

何だよ、その反応――サトルはがっかりする。まあ仕方がないか。所詮は東京の空だ。

ダウンジャケットのポケットに手を入れた。小さな箱を摑み、ゆっくりと取り出す。この瞬間のために、今夜デートに誘ったのだ。プロポーズの台詞は一晩かけて、じっくりと考えた。紙に書き、すらすらといえるように何度も練習した。

ミカ、と呼びかけた。声が少しかすれた。あわてて唾を呑み込む。口の中が、からからになっていた。

なあに、とミカが返事する。何かを予想している気配はない。今がチャンスだ。

「人が幸せになれるかどうかってさ、たぶん出会いがすべてだと思う。良い出会いがあるかどうかが大事なんだ。でもそれって、運だよな。神様にしか決められない。だからさ、俺は今、神様に感謝を――」している、といいかけた時だった。

遠くで物音がしたと思ったら、何か光るものが目の端を通過した。はっとした次の瞬間、ぼんっという音が背後から聞こえた。それと共に、周囲が明るくなった。

サトルは後ろを振り返った。信じられない光景がそこにはあった。

彼のバイクが倒れ、激しく火を噴き出しながら地面の上を暴れ回っていた。

11

斎場は、うらぶれた商店街の裏通りにあった。灰色の建物で、足を踏み入れると少しカビの臭いがした。壁の案内板によれば、会場は二階のようだ。喪服に身を包んだ内海薫は、階段を上がっていった。階上からは人の話し声が聞こえてくる。

長岡修の通夜は、彼の生まれ故郷である光原町で行われることになった。生家の両親がそのように望んだらしい。薫は光原町に来るのは初めてだった。田園風景の先に山を望める、緑の多い町だ。

しかしそんな背景には似つかわしくなく、トラックや重機が頻繁に行き来している。

いうまでもなくスーパー・テクノポリス計画の影響だった。いくつかの施設は、すでに工事が始まっているらしい。駅で見た看板には、『ようこそ科学の町へ』とあった。自然豊かな場所が文明に侵食されていく様を目にすると、何だか痛々しい気分になる。身に合わない服を着せられているように思えるのだ。だが外部の人間にとやかくいう資格はない。地方の町は、どこも大変なのだ。

通夜の会場には大勢の人々が詰めかけていた。長岡修と同年代と思われる男女が多い。地元の学校の同級生かもしれなかった。

何人か警視庁の捜査員の姿があった。もちろん彼等も喪服に身を包んでいる。弔問客の中に犯人がいる可能性を考え、張り込んでいるのだ。受付の近くにいる捜査員は、隠しカメラを身に付けている。弔問客全員を撮影しているのだ。

薫はほかの弔問客に混じって、焼香の列に近づいた。ゆっくりと歩きつつ、周囲の人間たちがどんな会話を交わしているのか、聞き耳を立てる。その中に事件に関わる重大なヒントが潜んでいる可能性があるからだ。

列の最後尾に並んだ時、あっと横から女性の声が聞こえた。そちらに目を向け、薫はぎくりとした。渡辺清美が立っていた。

「先日はどうも」薫は小声で挨拶した。

「どうしてこんなところに？」

不思議そうな顔をした渡辺清美の耳元に、薫は口を近づけた。

「捜査のためです。ほかの人には気づかれたくないので、私の職業については口に出さないでいただけますか」

「あ、はい」渡辺清美は緊張した面持ちで頷いた。

彼女の周囲に目を走らせた後、「お一人ですか」と薫は訊いた。

「はい。誘う相手もいませんし……」

「今日のことはどなたから？」

「彼の御両親からです。電話をいただきました。一度、お宅に行ったことがあったものですから」

長岡修が交際相手として彼女を両親に紹介したのだろう。結婚の話も出ていたかもしれない。将来の夢を突然断ち切られた渡辺清美の心中を思うと、薫も胸が痛んだ。

渡辺さん、と薫は再び囁きかけた。

「万一誰かから話しかけられた際には、私のことを渡辺さんの知人ということにしておいていただけますか。そのほうが私も動きやすいので」

渡辺清美は戸惑いの表情を浮かべた後、わかりました、と答えた。

焼香の後、両親たちの前を通って外に出た。渡辺清美がついてこないので振り返ると、長岡修の母親らしき女性と言葉を交わしているところだった。どちらも目に涙を浮かべていた。

隣室に通夜振る舞いが用意されていた。薫は渡辺清美と共に隅の席についた。

「内海さんがいてくれてよかった」渡辺清美がいった。「こんなところで一人きりで座っていたら、もっと気が滅入っていたと思うから」

「そういっていただけると助かります」

あの、と渡辺清美が周りを見回してから遠慮がちに口を開いた。「捜査のほうはどうですか」

こういう時の答えは決まっている。継続中です、と薫は答えた。

「何か進展はあったのでしょうか」

「いろいろと情報を集めているところです。だから私も今日ここに」

はあ、と渡辺清美は曖昧に頷いている。彼女はもっと詳しいことを聞きたいに違いなかったが、捜査の内容について一般人に明かすわけにはいかない。

清美さん、とどこからか声がした。

見上げると、テーブルの向かい側に、がっしりとした体格の男性が立っていた。よく日に焼けているのでスポーツ刈りが似合っている。年齢は四十歳前後だろうか。後ろにもう一人、小柄な男性がいる。

ああ、と渡辺清美が瞬《また》きした。「カツタさん、でしたよね」

「そうです。その節はどうも」男性は頭を下げた。

どうやら渡辺清美の知り合いらしい。関係を知りたくて、薫は彼女の顔を見た。

「こちらでレストランを経営している方です」渡辺清美が教えてくれた。「そのお店には一度だけ、修さんに連れていってもらいました。修さんの御両親に会うため、こっちに来た時です」

よろしく、といって男性が薫に名刺を出してきた。レストランの店名は、『ボタニアン』というらしい。『店長　勝田幹生』とあった。

「内海といいます」薫は名乗った。「渡辺さんとは職場が同じなんです。今日は付き添いとしてやってきました。ごめんなさい。名刺は持ってきてなくて」

結構です、といってから勝田は神妙な顔を渡辺清美に向けた。

「このたびは本当にお気の毒なことでしたね。僕たちも驚いたし、ショックです。何しろ、長岡君はST反対運動の急先鋒だったから」

渡辺清美は無言で目を伏せた後、薫のほうを見た。

「勝田さんも、反対運動に加わっておられるんです。リーダー的な存在だって、修さんはいってました」

「リーダーだなんて、それほどのものでは」勝田は照れたように手を振った。

「お店の名物はキノコ料理なんです。使うキノコは、全部勝田さん御自身が山で採ってきたものだそうです。あたしたちも食べましたけど、香りがよくて本当においしいんです」

「そういっていただけると山を歩きまわった甲斐があります」勝田はそういってから、黙って後ろで控えていた男性のほうを振り返った。「紹介しますよ。僕の補佐をしてくれているヨネムラ君です。本業は書店経営だけど、タウン誌を発行したりもしています。長岡さんとも面識があったそうです」

よろしくお願いします、といって男性が名刺を出した。薫は横から覗き込んだ。米村、という字だった。

「長岡さんとは、いろいろと情報交換をしていたんです。今回のこと、本当に悲しいです。悲しいし、残念だし、悔しいです」

渡辺清美は無言で頭を下げた。言葉が出てこない様子だ。

勝田と米村は、そのまま薫たちの向かい側の席に腰を下ろした。

「犯人については、まだ何もわからないんですか」米村が渡辺清美に訊いた。

全然、と彼女は答えた。

「刑事さんが来て、いろいろと訊かれたんですけど、あたし、ろくに答えられなくて……」一瞬だけ、ちらりと薫のほうに視線を向けた。

「刑事なら、僕のところにも来ましたよ」勝田がいった。「長岡君の電話の発信履歴に、僕の名前が残っていたそうです。たしかに今月に入ってすぐ、彼から電話をもらいました。しばらくこちらに帰ってないので、状況を教えてくれといわれたんです。大きな変化はなし、運動は停滞気味と答えたら、そうですかと残念そうでしたね」

「彼の……修さんの様子に何か変わったところは？」渡辺清美が訊いた。

勝田は小さく首を振った。

「特には気づきませんでした。いつもと同じ感じで、今月には新たな工事が始まるから、それまでにもう一度大々的にキャンペーンをしたい、というようなことをいってました。だから刑事にも、そんなふうに話しました」

話を聞きながら、薫は胸の内で頷いていた。長岡修の携帯電話の発信履歴に名前が残っていたから承知している。彼がいったように、勝田のところへ捜査員が行ったことは承知している。勝田の供述に特に怪しい点は見つからなかった、と捜査会議では報告されている。

失礼ですが、と薫はいった。「なぜスーパー・テクノポリス計画に反対なんですか。地元としては、大きな経済効果が期待できると思うんですけど」

勝田は隣の米村と顔を見合わせた後、虚しさの漂う笑みを薫に向けてきた。

「理由は単純です。あらゆる意味で、地元にとって絶対によくないと思うからです」

「そうでしょうか。あらゆる意味で、とは？」

「まず経済効果の点。昔、隣町にレジャーランドができました。盛り上がってたのは最初のうちだけで、すぐに閑古鳥《かんこどり》が鳴くようになって、残ったのはでっかい借金と使い物にならない施設だけ。その代わりに美しい自然をたくさん失いました。あんなことは避けなきゃいけません」

「その点について推進派の人たちは、どう説明しているんですか」

「心配いらない、その一点張りですよ」勝田は唇を曲げていった。「収支については綿密にシミュレーションを行っており、健全経営を維持できると判断した——こんなの、説明にも何にもなってないわけですが、連中はこれで押し通す気です」

「ほかには？　やっぱり環境問題ですか」

「もちろんそうです。スーパー・テクノポリスの予定地には、多くの特別保護区が入っているんです。開発によって多くの野生動植物が失われる危険性がある。しかもそれだけでなく——」勝田は周りにさっと視線を投げてから、低い声で続けた。「一部の施設には、放射性物質が持ち込まれることになっているんです」

「地層処分研究所のことですね」

薫がいうと勝田は意外そうに目を大きくした。「御存じなんですか」

「ここへ来る前に少し調べました」

「それなら話が早い。糸山地区に建設予定の施設では、高レベル放射性廃棄物の処理に関する研究が行われるそうです。実際にそういうものを持ち込んで、地下で保管した場合にどういう問題が起きるかなんかを研究するらしいんです。それって怖いと思いませんか。ひとつ間違えたら、大量の放射能が漏れ出すおそれがあるわけです」

「でも公式サイトの説明によれば、研究に使用されるガラス固化体は安定した物質で、たとえ破損したとしても放射能が外部に漏れる心配はないとか」

勝田は苛立ったような顔つきでかぶりを振った。

「そういうのを机上《きじょう》の空論というんです。福島の原発だって、絶対に安全だといわれてたのにあの有様じゃないですか。何が起きるかわからない。さっきキノコの話が出ましたけど、僕がキノコを採る場所も、あの施設に近いんです。あんなものができたら、もう安心してキノコをお客さんに出せなくなる。なし崩し的にあちらこちらの工事が始まってしまったけれど、糸山地区の地層処分研究所だけは絶対に作らせないよう、断固闘っていく方針です」

「うまくいく見込みはあるんですか。計画を中止させられるような」

すると勝田は渋面を作り、低い声で唸《うな》った。

「ちょっと手詰まり状態であることは認めなきゃいけないでしょうね」

「そうなんですか」

「去年、工事予定地の近くでイヌワシの巣が見つかったんです。我々は色めき立ちました。これで工事はできなくなるはずだ、と自然保護団体らと連携して工事反対の声を上げたんです。ところが県は、あっさりと工事許可を出しました。もちろん我々は抗議に行きましたが、環境省からもお墨付きをもらっているといって取り合ってくれません。それで環境省に問い合わせてみても、はっきりとした回答はない。これはもう完全に裏で話がついているんだと睨んでいます」

「裏で話……とは？」

「あいつが動いたんですよ」横から米村が憎々しげにいった。「大賀仁策です。環境省に掛け合ったんだ。そうに違いない。いつもそうなんだ。あいつがいるかぎり、まともな方法で攻めても、なかなかうまくいかないんです。法律だってねじまげちゃいますからね」

「では、今後はどんなふうに闘っていくおつもりですか」

勝田は太いため息をついた後、「作戦を練っているところです」と答えた。

「長岡さんが、反対運動に繋がる何らかの新事実を摑んでたってことは考えられませんか。それが今回の事件に関わっているとか」

薫の質問に、勝田は怪訝そうに眉をひそめた。まずい少ししゃべりすぎたか、と薫は思った。

「ごめんなさい。野次馬根性が強いものですから」首をすくめてみせた。

勝田は、ふっと息を吐いた。

「僕のところへ来た刑事も、そんなようなことを訊いてきました。だけど、ありえない。長岡君がそういう事実を掴んだのなら、真っ先に僕のところに知らせてくるはずです。そもそも推進派の連中だって野蛮人じゃないんだから、都合の悪いことを掴まれたからって、殺したりはしませんよ。――なあ？」

同意を求められた米村が、ええまあ、と頷いた時、勝田の懐《ふところ》からハイテンポの音楽が聞こえてきた。よく聞くと『津軽じょんがら節』だ。電話の着信音らしい。彼は慌てた様子で、スマートフォンを耳に当てながら部屋を出ていった。

「今のお話を聞くと、少し苦戦気味のように思えますけど」薫は米村に訊いた。

米村は、やや悄然《しょうぜん》とした表情で首を縦に動かした。

「このところ、今ひとつ反対運動に勢いがなくなってきているんです。はっきりいうと、一枚岩じゃなくなってきています。結局みんな、自分の生活を支えることで精一杯なんです。計画に反対する理由はそれぞれ違うから、個別に攻められると弱いんです。昨日までは猛反対だったという人が、一日でころりと意見を変えたりします。たぶん懐柔されたんだと思います。お金を受け取った人もいるでしょうね」

「へえ」

ありそうなことだ、と薫は思った。

それに、と米村は続けた。「情報が漏れているような気もします」

「情報？」

「一昨年あたりから、新たな作戦を始めたんです。すでに工事が始まっているところを調査して、本当に環境に配慮がなされているかどうかを確認するというものです。計画地以外の木が伐採されているのを見つけて、県に連絡したこともあります。産業廃棄物が不法投棄されているのを見つけたことも。いずれも完全に違法行為だから、県としては指導せざるをえない。そういったことを何度か繰り返せば、まだ工事が始まっていないところは計画が見直される可能性もあるのでは、と考えたわけです」

「それは効果的かもしれませんね」

「ところがそれも、次第にうまくいかなくなってきました。違法行為をしているという情報を摑んでも、証拠写真を撮影しにいくと、その時にかぎって痕跡が消えていたりするんです。そういうことが何度もありました。一体どういうことなんだろうって勝田さんと二人で首を傾げているんですよ」そういって米村は、黒いネクタイを少し緩めた。

12

「大賀に尋ねたところ、会ったことはないし、名前も聞いたことがないということでした」長岡修の顔写真をテーブルに置き、鵜飼和郎は淡泊な口調でいった。平たい顔には表情らしきものが見られない。感情を読みにくい男だ、と草薙は思った。

「できれば、先生に直接お伺いしたいのですがね」間宮が遠慮がちにいう。

「どうしてですか。この男を知っているかどうかを確認すればいいわけでしょう？　今、私が大賀に写真を見せてきました。その結果、知らない人物だという答えが得られた。それでいいじゃないですか。何が不足なんですか。あなた方の目的は果たせたと思うのですが」貯金箱の穴を思わせるような細い目で、鵜飼は草薙と間宮とを交互に見た。口調は丁寧だが、あからさまに迷惑そうだ。そしておそらく、この警官風情が、と見下している。

某ホテルの宴会場のそばにある控え室にいた。今日はここでスーパー・テクノポリス計画の成功に向けた、関係者たちの親睦パーティが開かれるらしい。大賀仁策の事務所に問い合わせたところ、ここへ来るようにいわれたのだ。ところが待ち受けていたのは第一秘書の鵜飼で、大賀とは会わせてもらえそうになかった。

「最近、先生の身の回りで何か変わったことはありませんか」草薙が質問した。

「変わったことといいますと？」

「たとえば……誰かに尾行されたとか」

鵜飼の目がほんの少しだけ開かれた。ふふん、と鼻を鳴らす。どうやら笑ったようだ。

「記者さんから尾行されるのは日常茶飯事です。マスコミに追いかけられるぐらいでないとトップは務まらない」

「どんなことでもいいんです。いつもと何か違うと思ったようなことはありませんか」

「ありませんね」鵜飼はゆっくりと首を横に往復させた。

「なぜいいきれるんですか。お訊きしているのは大賀さんのことです。あなたは大賀さんの行動のすべてを把握しているというんですか」

「もちろんです」全く動じることなく断言した。「ある意味、大賀本人より」

返す言葉がなくなった。草薙は間宮と顔を見合わせた。それを終了の合図と察したのか、鵜飼は立ち上がった。「御用件はお済みのようですので、これで失礼させていただきます」一礼し、そそくさと部屋を出ていった。

「何だ、あいつ」草薙は舌を鳴らした。

「まあ、こんなところだろう。仕方がない。こっちに話を聞き出すだけの手札がないんだからな」どっこいしょ、と間宮は腰を上げた。

控え室を出てエスカレータに向かうと、宴会場の入り口付近で人だかりができていた。大盛況のようだ。

草薙は足を止めた。知っている顔があったからだ。

どうした、と間宮が訊いてきた。

「先に戻っててください。野暮用ができました」その人物を指差した。

間宮は怪訝そうにそちらに目を向けたが、すぐに事情を察知したらしく、「わかった」と頷いてエスカレータに乗った。

その人物は受付に向かっているところだった。芳名帳に記入するつもりらしい。湯川、と後ろから声をかけた。

湯川学は足を止め、振り返った。草薙の顔を認めると、納得したような顔で頷いた。

「こんなところにまで現れるとは、どうやらスーパー・テクノポリス計画が事件の鍵だと本気で考えているらしいな」

「だから、それはまだわからんといってるだろ。一応、計画のいいだしっぺに会っておこうと思ったんだ。会えたのは秘書だけだがな」

「いいだしっぺというと大賀仁策か。ついに君もそんな大物を相手にするようになったか」

「だから、会ってもらえなかったといってるじゃないか。それより、なぜおまえがここにいる?」

湯川はスーツの内ポケットから封筒を取り出した。

「招待された。うちの教授の代理だ」

「帝都大学もスーパー・テクノポリス計画に参加するのか」

「まだ何も決まっていない。大して興味はなかったが、先日の君の話を聞いて少し調べてみようという気になった。大賀仁策は科学立国復活をスローガンにしているらしいが、その姿勢には基本的に賛成だ」

「何か胡散臭《うさん》いんだよな。ただ地元を潤おしたいだけじゃないのか。会ったこともないのにこんなことをいうのも何だけど」

「じゃあ、顔だけでも見ていったらどうだ」

「顔だけ？　どういうことだ」

湯川は先程の封筒から招待状を出した。「御同行者は一名まで可、と書いてある」


「……つまり、すべては環境ということになるわけです。戦後、我が国には何もなかった。何かをほしいと思ったら、生み出すしかなかった。テレビだって洗濯機だって車だって、外国製のものは高くて買えなかった。だから庶民が買えるようなものを作ろうとしたわけです。安くて良いものをです。その結果、経済大国と呼ばれる国にまでのし上がれた。ところが今は、何でもある。安いものがいくらでも手に入る。最近の若い人たちに何かほしいものはあるかって訊いてごらんなさい。せいぜい新しいスマホがほしいとか、アイドルのサインがほしいとか、そんなところです。そんなんじゃあ何かを生み出そうっていう流れになるわけがない。科学立国を復活させようなんて、夢のまた夢です。だから、まずは環境を作らねばならんのです。今、自分たちに何が必要か。将来のためにｗ何をやらなきゃいかんか。そういうことを常に考えるような環境を用意しなきゃいけない。ぬるま湯の世界とは隔離した空間で人材を育てるわけです。それがつまり、スーパー・テクノポリスということになるんですな。皆さん、ようやくその話に落ち着いたか、という顔をしておられますね。すみませんな、話が長くて。しかしこういうところから話していかんと、なかなか理念をわかってもらえんのです。いやもちろん、今日この場に来ておられるような方々にとっては、釈迦に説法なのかもしれませんが」

壇上で怪気炎をあげているのは大賀仁策だ。白髪混じりの髪をオールバックにしており、四角い顔は大きい。学生時代は野球をしていたというだけあって肩幅は広く、見たかぎりでは頼りがいのある親分という印象だ。言葉に少し訛りがあるのも、迫力を増す効果を生んでいた。

大賀の後、何人かの議員が挨拶し、歓談の時間となった。

「さすがに政治家連中はスピーチがうまいな。何となく、最後まで退屈せずに聞いちまった」ウーロン茶のグラスを手に草薙はいった。

「いくら話がうまくても、中身がないのでは意味がない。彼等の話からは、将来に向けての明確なビジョンが何ひとつ得られなかった。残念ながら無駄足だったかな」湯川の表情は冴えない。彼もウーロン茶だった。酒を飲む気分ではないのかもしれない。

「それにしても盛況だな。大賀仁策の集客力は侮《あなど》れないようだ」草薙は周囲を見回した。

二百人は優に越えているだろう。テレビで見かける顔もちらほら目についた。耳にしたところでは、招待客以外の参加費は二万五千円らしい。並んでいる料理にそれだけの価値があるとは思えないし、立食形式なのは早々に客を帰らせるためだろうと勘ぐらざるをえなかった。

大賀が招待客一人一人に挨拶をして回っていた。短く言葉を交わし、最後には必ず握手をしている。流れ作業をこなすように動きがスムーズだ。

傍らに影のように控えているのは鵜飼だ。まずいな、と草薙が思った矢先、大賀が二人に近づいてきた。顔には選挙用の笑顔が貼り付いたままだった。

鵜飼が草薙に気づいたらしく、大賀の耳元で何やら囁いた。大賀は立ち止まり、一瞬真顔になったが、すぐに笑みを取り戻してから歩み寄ってきた。

「お仕事、御苦労様です。すみませんな、お相手をできませんで」そういってから大賀は鵜飼のほうへ顔を向けた。「受付はどうなってるのかな。部外者は入れるなといっておいたはずだが」

「至急、確認します」

「その必要はありません。彼も招待客です」湯川が懐から名刺を出した。「正確にいうと、招待客の同行者です」

大賀は彼の名刺を受け取った。ほう、というように口が動いた。「帝都大理学部……

そうでしたか、あなたが湯川准教授」

「私のことを御存じですか」

「もちろんですよ。私はいろいろな大学や研究機関に顔を出しては、若手の研究者についての情報を集めておりますからね。帝都大といえば、何といっても二宮先生ですな。先日も、先生にお会いしましてね、その時にあなたの名前も出ましたよ。才能豊かで、将来有望だとおっしゃってました」

「それは恐縮です」

「しっかりとがんばってください。早く二宮先生のようになられることを祈ってますよ」

「ありがとうございます。ただ一点だけ腑に落ちないことが」

「何ですかな」

「素粒子論の二宮教授なら、三年前に渡米された後は、一度も帰国されていないはずなのです。あなたがお会いになられたのは、どちらの二宮先生でしょうか」湯川がさらりといった。

大賀の目に冷たい光が宿った。初めて見せる本当の表情だと草薙は感じた。

「そうですか。じゃあ、何かの勘違いかな」大賀は再び笑みを浮かべた。「まあ、ゆっくりと楽しんでいってください。ここの料理はなかなか旨いですぞ」足早に遠ざかっていく。鵜飼が草薙と湯川をちらりと見てから、大賀のあとを追った。

「俺たちと握手をする気はないようだな」別の人間を相手に大声で話し始めた大賀の背中を見つめ、草薙は小声で湯川にいった。

13

その倉庫は東京湾の埋め立て地に建てられていた。似たような建物が、ほかに四棟ある。主に材木を保管してあるそうだが、問題の倉庫は老朽化のため、現在はあまり使用されていないということだった。

「だから警察に届けなくていいと思っていたわけではないんですが、特に業務には支障がないので、ついつい後回しになってしまいました。本当に申し訳ありません」

倉庫の管理責任者は川上といった。背が低く、顔の丸い中年男だ。

「穴に気づいたのは、先月の二十三日ということでしたね」内海薫が訊いた。

「そうです。先に出社していた部下が気づき、私に電話をくれたんです。びっくりしました。いくら老朽化してるからって、急に穴が開くなんて考えられませんもんねえ」

草薙はスマートフォンを取り出し、倉庫を見上げた。壁には幅一メートルほどの四角い穴が開いている。外壁パネルの一枚が消えているのだ。

スマートフォンを操作し、画像を表示させた。長岡修のメモリーカードに入っていた動画の一部だ。それと見比べ、この倉庫の壁を撮影したものであることを確認した。

「間違いなさそうだな」

壁の穴より一メートルほど横に、会社のロゴが描かれている。動画ではわかりにくかったのだが、鑑識課員が画像処理して発見した。それを手がかりに、この場所を特定したというわけだった。すぐに倉庫を管理する会社に問い合わせたところ、そういう事故があったことを認めたので、草薙たちが管理責任者に話を聞きにきたというわけだ。

「あの壁の厚みは？」草薙が質問した。

「一センチぐらいですかね。倉庫用の外壁材を使っています。そんなに弱いものじゃありませんよ。石をぶつけたぐらいじゃ、どうにもなりません」

「倉庫の中の様子は？」

「ばらばらになった外壁材が落ちていただけです。部下と一緒に隈無《くまな》く調べましたが、ほかには何も見つかりませんでした。警備員も異変には気づかなかったというし、全く不思議な話です」

内海薫が海のほうを振り向いた。つられて草薙も目を向けた。船が一隻、前を横切っていく。水路を挟んで、向こう側の建物や駐車場が見える。

「向こう側から銃か何かで撃ったとは考えられませんか」内海薫がいった。

「向こうから？　一キロはありそうだぞ」

「無理ですよねえ」

「それに、銃なら小さな穴が開くだけだ。弾丸だって残る」そういってから草薙は川上を見た。「このあたり、夜はどんな感じですか。倉庫は夜間でも開けたりするんですか」

「その日によりますね。どれかの倉庫を開けていることもあります。ただ、大抵は閉めたままです。そういう時は、警備員以外は誰もいません」

草薙は念のために長岡修の写真を見せた。

「見たことないなあ」川上の口からは予想通りの答えが出てきた。

「ほかに何か変わったことは？」

「うちの倉庫でですか」

「そうじゃなくてもいいです。何か不思議な現象……たとえば原因不明の爆発事故とか」

「爆発ねえ」川上は腕組みをし、首を捻った。その様子を見て、とても期待できそうにないと草薙が諦めかけた時、あっ、と川上が口を開いた。

「何かありましたか」

「いや、爆発ではないんですがね、屋形船が燃えたって話があったなあと思って」

「屋形船？　どこでですか」

「隅田川を移動中だったそうです。詳しい位置はわかりません。知り合いに、別の屋形船で働いている人がいましてね、その人から聞いたんですよ。突然、火の手が上がったとか。幸い、怪我人は出なかったらしいですけど」

「いつ頃のことですか」

「二か月ぐらい前じゃなかったかなあ」川上は首を捻りながらいった。

礼を述べ、草薙はその場を離れた。近くに駐めてあった車に乗り込んでから、「屋形船の件、調べてみてくれ」と内海薫にいった。「ついでに、ほかに似たような事故がないかどうかもな。事件に関係しているかどうかはわからんが、藁《わら》にもすがる思いってやつだ」

「藁にも……草薙さんにしては気弱ですね」エンジンをかけながら内海薫がいう。

「気弱にもなろうってもんだろ。こう停滞してたんじゃ」シートベルトを締め、背もたれを大きく倒した。

長岡修の死体が見つかってから、丸十日が過ぎた。捜査は難航している。スーパー・テクノポリス計画のセンから攻めていけば何かが見つかるのではないか、という特捜本部の思惑は完全に外れた。推進派の中に長岡のことを快く思っていなかった人間がたくさんいるのは事実だ。計画が頓挫した場合、大きな損失を被る企業なども少なくない。しかしこれまで調べたかぎり、長岡がそれほどのネタを獲得していた形跡は見当たらないのだった。そもそも、最近はどんなことを取材していたのかさえ、よくわからない。パソコンを分析したところ、スーパー・テクノポリス計画絡みのデータは昨年の秋頃のものが最新だ。遺体が見つかる五日前に、反対運動のリーダーである勝田幹生に電話をかけているが、勝田によれば大した話はしておらず、ただ地元の状況を訊かれただけだという。

ただし、尾行した画像が残っていたように、大賀仁策については継続して調べていたようだ。スーパー・テクノポリス計画とは無関係の昔の事業などで、大賀がどのように関わっていたかを探っていた形跡がある。また最近では、女性関係なども突き止めようとしていたらしく、ライター仲間や親しい週刊誌の記者らから情報を集めていたことが判明している。大賀のスキャンダルを暴くことで、スーパー・テクノポリス計画推進を阻止しようとしたのかもしれない。

しかし大賀のセンから捜査を進めることは不可能に近い。長岡修など知らないといっているぐらいだから、大賀側から何らかの手がかりが出てくることは望めそうもない。

このところ、間宮は不在がちだった。たぶん上への説明に追われているのだろう。たまに姿を見せても、難しい顔をしている。間宮がいない時は、主任の草薙が捜査員たちを仕切らねばならない。しかし材料がないのでは、仕切りようがなかった。

「見つかりました」特捜本部に戻って草薙が各捜査員からの情報を整理していると、内海薫が駆け寄ってきた。「これを見てください」

彼女が草薙の前に置いたのは数枚の写真だ。それらには屋形船と、割れた窓ガラス、焼け焦げた床などが写っている。

「川上さんがいってた通りです。隅田川を移動中だった屋形船の窓ガラスが突然割れて、その後船内で火災が発生したそうです。悪質な悪戯ではないかということで警察に届けが出されています」

「しかし原因は不明ということか」

「ガラスの割れ方から見て、外から何かが飛び込んだ可能性が高いそうです。ところが船内からは何も見つからなかったとか」

草薙は唸り声を上げた。「それは……奇妙だな」

「もう一つあります」内海薫は別の写真を置いた。そこには黒こげになったバイクが写っている。

「何だ、これは?」

「一週間前の深夜、荒川沿いにある工場の敷地内で止めてあったバイクが突然炎上した、という事件が起きています。バイクの持ち主は工場とは無関係の若者で、デートの帰りに立入禁止を承知で敷地内に侵入したらしいです」

「炎上？　もう少し詳しい内容を知りたいな」

すると内海薫は綴《と》じた書類を出してきた。

「所轄に問い合わせてみました。バイクのガソリンタンクに、直径三センチほどの穴が開いていたそうです。ところが消防や鑑識が調べたかぎりでは、銃器の類いで撃たれたようには思えないとのことです」

「弾丸が見つからないってことか？　貫通したんじゃないのか」

内海薫は首を振った。

「穴は一箇所だけ。つまり衝突物がタンクを突き破った時にできたものだけです。ところがタンク内を調べても弾はなかったそうです。万に一つの可能性として、タンク内で跳ね返った後、突き破ってできた穴から出ていったことも考えたそうですが、現場周辺をいくら探しても見つからなかったそうです」

草薙は再び唸った後、頭の後ろで手を組み、椅子の背もたれに身を預けた。

「屋形船に倉庫、それからバイクか。繋がりがあるのかどうか自体、よくわからんな」

「何ともいえませんが、いずれも海辺や川辺で起きています。それは大きな共通点だと思うのですが」

「どうしてそんな場所を狙うんだ」

「それは」内海薫は、ひと呼吸置いてから首を振った。「わかりません。でも、長岡さんがあの映像を撮影したことに意味がないとは思えないんですけど」

「たしかにその通りだ」草薙は改めて、目の前に並べられた写真を見た。「怪現象の正体を突き止める必要があるとなれば、またあいつに相談するしかない。たぶん嫌味をいわれるだろうけど」

「湯川先生のところへ行くのは、もう少し材料を揃えてからのほうがいいのでは」内海薫がいった。「こんな写真を見せたところで、これだけでは何もわからない、といわれるだけのような気がします」

「そうだよなあ」

草薙が顔をしかめて頭を掻いていると、間宮が外から戻ってきた。浮かない表情なので嫌な予感を抱いていたところ、案の定、おいと手招きされた。

「何ですか」間宮の前に立ち、草薙は訊いた。

「被害者が大賀代議士の私生活を探っていたことについては、そろそろ幕引きにしろというお達しが出た」

「はあ？　何ですか、それは」

「痛くもない腹をさぐられることには慣れているが、殺人事件となれば話が違う。担当の政治記者や後援会の人間にまで捜査員が聞き込みをすれば、大賀代議士が事件と関わっているという印象を与えかねない。先日は都内で行われたパーティにまで、招待客の知人という形で刑事が紛れ込んでいたが、政治家としての名に傷がつきかねない行為なので、今後は重々気をつけてもらいたい、ということだった」

「管理官からの指示ですか」

間宮は首を振った。

「理事官からだよ。だけど、源はもっと上だろ。理事官も、まあそういうことだから、と不本意ながら伝えている感じだった」

草薙は舌打ちした。「代議士ってのは、そんなに偉いのかよ」

「人による。大賀代議士は大物だ。何しろ、総理大臣候補だからな」

間宮の言葉を聞いて、草薙がもう一度舌打ちをしようとした時、後輩刑事の岸谷が近寄ってきた。「ちょっといいですか」

何だ、と間宮が部下をじろりと見上げた。

「被害者が何らかの形で関わったとみられる会社の中に、足立区の小さな町工場があるんですが、そこの従業員が一人、一週間前から姿を消しているそうなんです」

「町工場? 被害者は、どんなふうに関わってたんだ」

「わかりません。携帯電話の発信履歴に、その会社の番号が残っていたんです。電話をかけたのは二か月ほど前です」

長岡修のスマートフォンは犯人に持ち去られたとみられている。犯人にとって、何か都合の悪いものが残っているからだと考えられる。そこで携帯電話会社に捜査協力を要請し、発信履歴を提出してもらった。岸谷の仕事は、履歴に残っている人物や企業、団体と被害者の関わりを明らかにし、今回の事件に繋がる可能性があるかどうかを確認することだった。

岸谷によれば、その町工場はクラサカ工機という部品製造の会社らしい。

「特捜本部が開設された直後に聞き込みにいったのですが、被害者のことを知っていると答えた人間はいませんでした。社長を通じて従業員全員に確認しました。二か月前に被害者が電話をかけているわけですが、誰が電話に出たのかも不明です。だから、その電話には大した意味はないのかなと思っていたのですが……」

「その従業員が失踪、か」

「前回の聞き込みから一週間以上が経っているので、念のため、その後何か変わったことはないかと電話で尋ねてみたんです。すると社長がそんなことをいいだしまして」

「単なる無断欠勤じゃないのか」

「最初は体調が悪いので休むということだったみたいです。それが二日続き、三日目になっても出社せず連絡もないので、会社のほうから電話をかけてみたら、携帯電話が繋がらなかったそうです。社員がアパートに様子を見に行ったらしいですが、留守だったとか。で、それから間もなく、一枚のファクスが本人から会社に届いたんです。そこには、わけあって会社を辞めることにした、迷惑をかけて申し訳ない、といったようなことが書かれていたそうです」

「何だ、そりゃあ。どういうことだ」

「わかりません。クラサカ工機の社長も、狐につままれたようだといっていました」

「一週間前に姿を消したということは、おまえが聞き込みに行った直後ということになるな」

「その通りです」

「大いに臭うじゃないか。何だ、その社長は。どうしてすぐにこちらに知らせてこなかったんだ。一週間も放っておくとは、どういうことだ」

間宮が仏頂面をしたが、それは無理だろう、と草薙は横で聞いていて思った。

「こちらの事件と関係しているとは露程も思わなかったそうです。それは理解できます」岸谷が草薙の考え通りのことをいった。「姿を消したのは一週間前ですが、最初の二日間は病欠の届けが出ているので、誰も不審には思わなかったそうです。本人からのファクスが届いたのは四日目の朝です。つまり、行方不明と認識してからまだ四日しか経っていません」

若手刑事の反論が理路整然としているからか、間宮は一層不機嫌そうな顔になった。

「まあいい、そんなことは。それより、その消えた従業員というのはどんなやつなんだ」

「とりあえず、履歴書をファクスで送ってもらいました」

岸谷が間宮に差し出した書類を、草薙は横から覗き込んだ。

添付された写真には、真面目そうな若い男が写っている。名前は古芝伸吾で、生年月日から計算するとまだ十九歳だ。高校を卒業後、大学には進まずに就職したらしい。

高校名を見て、おやと思った。偏差値の高さで有名な学校だ。知り合いに出身者がいたような気がしたが、思い出せなかった。

家族の欄に特筆すべきことがあった。両親を亡くしており、独り暮らしの身だという。

「クラサカ工機の社長の話では、求人広告を見て古芝が会社に来たのは昨年の五月末だそうです」岸谷がいった。

「五月？　またずいぶんと中途半端な時期だな」間宮が鼻を膨らませた。

「受験に失敗して浪人するつもりだったけど、生活を支えてくれていたお姉さんが病気で亡くなったので働かざるをえなくなった、と本人はいっていたそうです」

「両親に加えて姉さんもか。そいつは気の毒だな」

「社長も同情して、すぐに採用を決めたといってました。雇ったところじつに優秀で物覚えも早く、あっという間に一人前になってくれたと喜んでいたんだそうです」

「ところが突然行方をくらました、というわけか」間宮は二重顎を引いた。「しかし今回の事件に高校を卒業したばかりの若造が関わっているとは思えんのだがな。——おまえはどう思う?」草薙に振ってきた。

「同感ですが、先ほど係長もおっしゃったように、このタイミングで行方をくらませるというのはやはり気になります。本人が関わっていなくても、身近な人間が事件に関与していることを知っていて、それを追及されたくなくて姿を消した可能性はあるのではないでしょうか」

「たしかにそうだな。といっても天涯孤独の身だったようだから、調べるとすれば交友関係に絞られるわけだが」

「姉のことも調べておいたほうがいいでしょう」草薙はいった。「クラサカ工機に勤めるきっかけでもあったわけだし」

「わかった。交友関係と死んだ姉の経歴、そのへんを当たらせてみよう」間宮は自分の手帳を取り出し、何事か書き込んだ。

あの、と岸谷がいった。「ほかに、もう一つ引っかかることがあるんですが」

岸谷の言葉に、「何だ?」と草薙は間宮と声を合わせて訊いてきた。

「嘘をついてたんです」岸谷がいった。「出身高校に問い合わせたところ、受験に失敗なんかしていませんでした。それどころか一流大学に受かっています」

「一流大学?」間宮が鸚鵡《おうむ》返《がえ》しをした。「どこだ?」

「草薙さんがよく知っている大学です」岸谷が意味ありげな笑みを向けてきた。「帝都大学です」

草薙は目を剝《む》いた。「うちの大学？」

「工学部機械工学科だそうです。理系だから、もしかしたら湯川先生あたりは何か御存じかもしれません」

「それはどうかな。あいつは理学部だから――」そこまでいったところで、あっと声をあげた。

「どうした？」間宮が訊く。

草薙は履歴書の一部を指差した。「この高校、湯川の母校です」

14

再び、帝都大学理学部物理学科第十三研究室――。

草薙が作業台の上に並べた三枚の写真を見て、湯川は怪訝そうに眉根を寄せた。「何だ、これは？」

「だから前回の補足資料だ。あの動画からだけでは、何もわからないといってたからな」草薙は写真の一枚を手に取った。穴の開いた壁を撮影したものだ。「例の動画の場所が判明した。東京湾の埋め立て地にある倉庫だった。倉庫管理責任者の話では、内側にばらばらになった壁の残骸があっただけで、不審なものは何も見つからなかったそうだ。倉庫の周辺も見回ったらしいが、異状は確認できなかったってことだ」

湯川は視線を移動させた。「ほかの二枚は？」

「いずれも、ここ二か月以内に起きた怪事件の被害写真だ」

一枚には黒焦げになったバイクが、もう一枚にはガラス窓が割れた屋形船が写っている。草薙は手帳を見ながら、それぞれの状況を簡単に説明した。

「どちらも警察と消防が詳細に調べたが、銃器の類いが使われた形跡は見つからなかったらしい。特にバイクだが、ガソリンタンクを調べたところ開いていた穴は一つだけだと判明した。つまり貫通していない。それなのに中に弾丸が残っていないというのは、おかしいだろ」

「たしかに妙だな」

「ほかに、こういう写真もある」草薙は、新たに写真をもう一枚取り出した。タンクに開いた穴だけを撮影したものだ。

その写真を受け取った湯川の目に、真剣な光が宿った。

「穴の大きさは三センチほどのようだな」

「その通り。正確には、三・四センチだ」

「穴の破断面を見ると、内から外へと曲がっている。まるで、タンクの内側から破られたかのようだ」

「さすがだな。いいところに目を付けた」

草薙の言葉に、湯川は心外そうに眉をひそめた。

「科学の分野で君からお褒めの言葉をいただくとは思わなかったな」

「感心してるんだよ。このバイクを担当した鑑識の話では、最初に開けられた穴は、もっと小さかったんじゃないかということだ。もちろんそれは外部からの力で開けたものだ。ところがその直後、何らかの原因でタンク内にあったガソリンの温度が急上昇して膨張、最初の穴を押し広げるようにして噴出、同時に引火もした――そんなふうに推測されているらしい。実際、目撃したバイクの持ち主も、単なる炎上ではなく、ものすごい勢いで火を噴き出していた、と証言している」

湯川は写真を置き、椅子に腰を下ろした。「なるほど」

「ライフルやピストルで撃っただけでは、そんなことにはならないというんだな。おまけに痕跡が残るはずだ。どんなふうにしたら、こんな現象が起きるのか、今のところまだ解明できていないそうだ。というわけで湯川、ひとつ知恵を貸してくれないか。今度こそ本当に困ってるんだ」

「今度こそ？」湯川はぴくりと眉を動かした。「今までは本当には困っていなかったということか」

「そうじゃなくて、今まで以上に困ってるという意味だ。ああ、そうだ。この三つの事件にはもう一つ共通点がある。発生した場所だ。いずれも海や川の近くなんだが、仮に銃器を使うにしても、その場所がない。角度や何やらを考えると、犯人は船に乗っていたか、あるいは遠く離れた岸から撃ったことになる。だけどバイクのカップルの話じゃ、船なんていなかったというし、対岸からだとすれば一キロ近く離れたところから狙ったことになる。そういう狙撃も不可能ではないということだが、そうなると銃器も大がかりなものになって、ますます痕跡が残りやすくなるはずなんだ」空になったマグカップを手の中で弄《もてあそ》びながら草薙はいった。ところが湯川からの返事はない。見ると、椅子の肘掛けの上で頬杖をついていた。ぼんやりしているようだ。

湯川、と呼びかけた。「俺の話を聞いてるのか」

それで我に返ったらしく、湯川は瞬きした。

「ああ、もちろん聞いている。どういう可能性があるか、考えていたところだ」

「何か思いついたことがあるなら話してくれ」

いや、と物理学者は表情を曇らせた。

「今の話だけでは何ともいえない。君も知っていると思うが、確証のないことは口にしない主義でね」

「何だよ。また勿体《もったい》をつける気か」

「そうじゃない。考えるための材料が少なすぎるといってるんだ。もっと別の角度からのデータがほしい」

「そういわれてもなあ。今度いつ怪現象が起きるかもわからんし」

「じゃあ、次に起きたらまた来てくれ。ゆっくりと話を聞かせてもらう」湯川は腕時計を見ながら腰を上げた。「すまないが、これから講義があるので失礼する」

「今日は時間があるといってたじゃないか」

「すまない、うっかりしていた。君はゆっくりしていくといい。コーヒーを飲み終えたら、マグカップは流し台に戻しておいてくれ。洗う必要はない」

「生憎《あいにく》、ゆっくりしていられるほど暇じゃない」草薙も腰を上げた。「ところでおまえ、統和高校の出身だったな」

机の上からファイルや本を何冊か取り上げていた湯川が手を止めた。「それが何か?」

「今回の事件に、あの高校の卒業生が関わっている可能性が出てきた。しかも去年、この帝都大学に入学している。ただし、一か月ちょっとで中退しているけどな」

湯川は無表情だ。それがどうした、とでも思っているのだろう。

「入学したのは、機械工学科らしい。名前は古芝伸吾というんだが……」

湯川は肩をすくめた。

「そんな名前を聞かされても、何ともコメントのしようがない」

「そうだろうな。いくら高校の後輩といっても、歳が離れすぎているよな」草薙は苦笑した。「ちょっと訊いてみただけだ。何しろ今回の事件は、おまえと妙に縁があるように思ったからな」

「どういうことだ」

「例の動画のことで被害者と会ってるだろ？　それから、スーパー・テクノポリス計画も科学者であるおまえとは無関係じゃない。おまけにここへきて怪しい人物が高校の後輩。どうだ、縁を感じないか？」

「ありがたい縁ではないな」

「そうかもな。まあいい、忘れてくれ」

二人で部屋を出た後、左右に別れて歩きだした。

「大賀仁策の？　それ、本当か」

草薙が特捜本部に戻った途端、間宮が声をあげるのが聞こえた。見ると、誰かと電話で話しているところだった。

「……うん……うん。わかった。じゃあ、そのへんのところも詳しく聞いてきてくれ。……ああ、よろしく頼む」電話を切ってから間宮は草薙のほうを向いた。「内海からだ」

「何か摑んだんですか。大賀代議士の名前が出てましたけど」

「古芝伸吾の姉の勤め先がわかった。以前住んでいたマンションの賃貸契約を結んだのは姉らしい。契約書に勤務先が載っていた。『明生新聞』だ」

「新聞社ですか。それで？」

「早速、内海に話を聞きに行かせたところ、今連絡があった。古芝伸吾の姉が所属していたのは政治部で、しかも大賀仁策の担当だったらしい」

草薙は、ぴんと背筋を伸ばした。「本当ですか」

「被害者は大賀代議士を追っていた。その大賀代議士の元担当記者の弟が、事件後に行方をくらましている。何だか面白くなってきたぞ」舌なめずりをした後、間宮は草薙に目を向けてきた。「帝都大じゃあ、何かわかったか。その顔つきからすると、あまり期待はしないほうがよさそうだな」

「御明察です。古芝伸吾が在籍していた機械工学科に行って、学生や先生たちからも話を聞きましたが、あまり役に立つ情報は得られませんでした。何しろ入学して一か月で退学しているものですから、友人と呼べるほどの者がいないどころか、古芝のことを覚えている学生自体、殆どいないという有様です。それについては、教授や准教授、講師たちも同様です。おまけにクラブやサークルといったものにも所属していませんでした。帝都大学における古芝伸吾の痕跡は何もない、と考えたほうが妥当です」

「せっかく良い大学に入れたのに、学生ライフを満喫しないままに退学か。何ともかわいそうな話だな。それにしても、ほかに手はなかったんだろうか。休学とか」

「その点はたしかに不思議なんです。古芝には奨学金が支給されていて、バイトをしながら大学に通うことも可能だったはずなんです。しかし学生課で確認したところ、そういう方法を模索した形跡はありません」

間宮は口を曲げ、うーん、と唸った。

「どうしても大学を辞めなきゃならん理由が何かあったということか？　だとしたら、どんなことが考えられる？」

さあ、と草薙は首を捻った。「経済的な理由以外、思いつきませんねえ」

だよなあ、と間宮も浮かない顔でいった。

「ところで、例の件でガリレオ先生には会ってきたのか」

「会ってきましたが、材料が少なすぎて何ともいえないといわれました。さすがの湯川も、今のところはお手上げみたいで」

「あの先生が匙を投げるんじゃどうしようもないな」間宮は、ぽりぽりと頰を掻いた。

それから約一時間後、内海薫が戻ってきた。彼女が間宮に報告するのを、草薙は傍らで聞くことにした。

「季節の秋に稲穂の穂と書いて秋穂。古芝秋穂さんといいます。年齢は古芝伸吾より九歳上ですから、生きていれば今年二十八になります。入社してすぐに政治部に配属され、大賀氏が文部科学大臣に任命された頃に担当になったそうです。特に病弱だったわけではなく、昨年の四月に急死した時には、職場の人間全員が驚いたとか」

「死因は何だ。病名は？」間宮が訊いた。

「家族からの連絡によれば心臓麻痺だということです。ただ、はっきりしたことはわかりません。社内でも、特に確認したわけでもなさそうなんです。通夜も葬儀も行われなかったみたいで」

「家族というと弟の伸吾か。天涯孤独の身になっちまったわけだから、通夜や葬式をしている場合じゃなかったってのはわかるが……」間宮は釈然としない顔つきだ。「なんか引っ掛かるな。二十代の女が、突然心臓麻痺で死んじまったっていうのは」

「死亡した時期はわかっていますから、その頃に救急が出動した記録を当たってみましょうか。心臓麻痺なら、発見した人間が救急車を呼ぶはずです」

「そうしてくれ。あと、監察医務院にもな。病院以外の場所で急死したとすれば、監察医が駆り出されている可能性がある」

「わかりました」

「ところで今回の被害者との繋がりはどうなっている？　二人の間に面識はあったようか」

内海薫は眉根を寄せ、首を振った。

「残念ながら確認できませんでした。生前、古芝秋穂さんの口から長岡修さんの名前が出たのを聞いた人はいないようです。ただ、現在の大賀議員の担当記者によれば、長岡さんから接触されたこともあるそうですから、秋穂さんとも同程度の繋がりはあったかもしれません」

「現在の担当記者は、長岡さんからどんなふうに接触されたんだ」

「大賀議員の、最近の行きつけのクラブはどこかとか、お気に入りの女性はいるのかとか、そういったことを訊かれたらしいです」

「またそっちか」間宮が苦虫をかみつぶした顔になった。「やはり被害者は、大賀代議士の私生活を暴くことに力を注いでいたようだな。くそっ。そっちのほうはあまり突《つっ》くなって、上からいわれた途端にこれだ」

「スーパー・テクノポリスは、すでにいくつかの施設の工事が始まっています」草薙はいった。「今さら計画を白紙にするのは現実には不可能でしょう。そこで推進派のトップのスキャンダルを暴くことで、計画を少しでも遅らせる、あるいは規模を縮小させようとしたのではないでしょうか」

「それは考えられるな」間宮は頷き、内海薫のほうに顎を突き出した。「弟はどうだ？古芝伸吾については何かわかったか」

「そちらは殆ど何も……。古芝秋穂さんが弟の帝都大学合格を心の底から喜んでいた、という話が聞けたぐらいです」

「わかった。御苦労」間宮が草薙を見上げてきた。「さあて、どうする？」

「古芝伸吾について調べるべきでしょう」草薙はいった。

「それはわかるが、誰にやらせる？　課長や理事官の手前もある。大賀代議士絡みの捜査は、なるべく小所帯でやりたい」

「俺がやりますよ。とりあえず、明日、クラサカ工機に行ってきます」

「それがいい。俺は管理官と相談して、古芝伸吾の部屋を家宅捜索する方向で話を進めてみる」

「了解です」

ようやく捜査が動きだしそうだな――間宮の背中を見送りながら草薙は思った。

15

足立区梅島にクラサカ工機はあった。小さな工場の壁は、塗装がかなり剝げ落ちて、元々は緑色だったことが辛うじてわかる程度だ。工場のすぐ隣に二階建ての建物があり、こちらが事務所らしい。『金属加工品の製造販売　クラサカ工機』と書かれた看板は、やけに新しかった。

その事務所の応接スペースで草薙は社長の倉坂達夫と向き合った。倉坂は小柄だが胸板の厚い、現場経験が豊富そうな人物に見えた。

「いい子でしたよ。真面目で仕事熱心で、何より頭が良かった。少し教えただけで、すぐに覚える。それだけじゃなく、応用をきかすこともできる。電気や機械の知識も豊富でね、そんなに頭が良いのに大学に行かないなんて勿体ない、夜学でもいいから行ったらどうだって、何度も勧めました。本人は、とうとうその気にならなかったみたいですけど」倉坂の言葉に誇張した気配はなかった。

「求人広告を見て、訪ねてきたそうですね」

「そうです。職人の高齢化が進んじゃって、このままじゃいけないってことで募集したんです。四月に一人高卒の子が入ったんですけど、仕事が思ったよりきつかったのか、すぐに辞めちゃってね。参ったなと思って、もう一度募集したら、次に来たのが古芝君でした。無口で、最初は何を考えているのかわからないところもあったんですけど、今もいったように、仕事を教えてみたら一級品だった。こいつは大当たりだったなあって、みんなで喜んでたんですけど……」倉坂は、やや薄くなった頭を掻いた。「一体何があったのかなあ。おかしなことに巻き込まれてるんでなきゃいいんですけど」

「行き先に心当たりはないんですね」

「ありません。あれば問い合わせてますよ」

「会社を休ませてほしいと最初に電話をかけてきたのは、間違いなく本人でしたか」

「そのはずです。――おい、トモちゃん、間違いないよな」倉坂は、すぐ横の机で事務仕事をしている太った女性に声をかけた。トモちゃん、というのが愛称らしい。ただし、どう見ても四十代半ばだ。

これまでのやりとりが耳に入っていたのか、「古芝君の声だったと思いますけど」と女性は答えた。

「病気だといったんですか」草薙は訊いた。

「はい。体調が悪いから休みたいって。で、その次の日も連絡があったんです。やっぱり今日も休ませてくださいって。大丈夫なのって訊いたら、大丈夫です、心配をおかけしてすみませんといって電話を切りました」

「その後は？」

「電話があったのは、それが最後です」

草薙は倉坂に目を戻した。「で、翌日も姿を見せなかったんですね」

「そうです。ケータイに電話をしても繋がらないんですよ。これはおかしいってことでアパートに様子を見に行かせたら、留守だというじゃないですか。一体どういうことだと思ってたら、ファクスが届いたんです」倉坂は折り畳んだ紙を差し出した。「これです」

拝見します、といって草薙は紙を広げた。手書きの文字で、『事情があり、退職させていただきます。迷惑をおかけし、申し訳ございません。今までどうもありがとうございました。古芝伸吾』とあった。

「本人の筆跡に間違いないですか」

「間違いないみたいです。古芝君の指導係だった社員が、そういっています」

草薙は頷いた。話を聞いたかぎりでは、どう考えても意図的に失踪している。

上着の内ポケットから写真を出した。長岡修の写真だ。それを倉坂の前に置いた。

「うちの岸谷という刑事が、この写真を皆さんにお見せしたと思うんですが、その時のことを覚えておられますか」

「ええ、覚えています。この人がうちに電話をかけてきたとか」

「そうです」

「しかしねえ、従業員全員に確認しましたが、知っている者はおらんのですよ」

「古芝さんにも確認されたわけですね」

「しましたけど……」

「その時、古芝さんの様子に何か変わったところはなかったですか。落ち着きがなくなったとか、考え込んでいたとか」

倉坂は戸惑ったような顔で瞬きを繰り返した。

「特に変わった様子はなかったと思いますよ。どうしてそんなことをお尋ねになるんですか。あの子が嘘をついてたとでもいいたいわけですか」

「いえ、そんなふうに決めつけるつもりはありません」

草薙が愛想笑いを浮かべて手を振ると、刑事さん、と倉坂は真顔で見返してきた。

「これがどういう捜査なのかは知りませんがね、古芝君が悪いことをしたなんてことはありえません。もし事件に巻き込まれたんだとしたら、加害者じゃなくて被害者の側です。それだけは、はっきりといっておきます」

熱い口調に草薙は気圧《けお》された。覚えておきます、と小声で答えた。

工場を見せてもらうことにした。社長の倉坂が直々《じきじき》に案内してくれた。フォークリフトが入り口に止めてあった。

「古芝さんは、ああいうものも運転できたのですか」草薙は一応尋ねてみた。

「できましたよ。うちに来てすぐに普通免許を取ってくれたので、その後フォークリフトの教習所にも行ってもらいました。五日ほどで取れたはずです」

「彼、車の免許を持っているんですね」

「ええ。去年の秋には自分の車を買ってました」

「車を？　どういう車ですか」

「中古のワンボックス・バンです。友達とキャンプに行ったりするから、そういうのがいいんだといってました。たまに会社の駐車場に止めてあるのを見ました。白いバンです」

その車については未確認だ。古芝伸吾が、その車で移動しているのだとしたら手がかりになるかもしれない。

「友達というと、どういう人ですか。社内の同僚とか？」

いやいや、と倉坂は手を振った。

「最初にいいましたように、従業員が高齢化してきたから入れたんです。だから古芝君が一緒に遊ぶような若い者はいません。学校時代の友達じゃないんですか」

草薙は頷きながら、高校にも話を聞きにいったほうがよさそうだと思った。なぜか、湯川の顔が頭に浮かんだ。

工場内には工作機械が並び、十人ほどの従業員が作業に当たっていた。見たところ、各自別々の仕事をしているようだ。

「うちは単品加工が殆どです。作ってるものは、生産ラインで使う部品とかジグとかが多いです」機械音や金属が切断される音が溢れる中、倉坂が大声でいった。

「ジグ？」

「部品や製品を加工する時、しっかりと固定しなきゃいけないでしょ。そのための専用の土台というか道具というか、まあそういうものです」

倉坂は近くにあった図面を手にし、見せてくれた。治具、の文字があった。だが倉坂によればこれは当て字で、本来は『ｊｉｇ』という英語らしい。

科学技術や製造現場に関して自分は知らないことだらけだ、と草薙は改めて思った。

「古芝さんは主にどんな仕事を？」大声で訊いた。

「どんなことでもやりました。手先も器用で、研磨なんかもすぐに覚えましたね。とにかく熱心で、仕事が終わった後も、一人で機械の使い方なんかを練習していました。こっちも早く一人前になってほしいから、そういうことは認めてたんです。私の家は、ここから五百メートルほど行ったところにあるんですけど、十一時近くになって事務所の鍵を届けに来たことがあります。今までやってたのかって訊いたら、夢中になって時間を忘れてたといってました」

倉坂の話を聞くかぎりでは、とにかく古芝伸吾は仕事熱心だったようだ。大学を辞めたのは、早く仕事に就きたいと思ったからなのか。

二人が工場を出たところで、先程のトモちゃんという女性が小走りに近づいてきた。

「社長、電話です」

「おお、そうか。じゃあ刑事さん、私はこれで」

「いろいろとありがとうございました」草薙は頭を下げた。

倉坂が事務所に向かうのを見送り、草薙も歩きだそうとした。その時、あのう、と遠慮がちに声をかけられた。例のトモちゃんが上目遣いをしている。

何か、と草薙は訊いた。

「さっきの写真の人、うちの会社に電話をかけてきたんですよね。二か月ぐらい前に」

長岡修のことだ。

「そうです。そういう記録が残っているんですが、それがどうかしましたか」

「これ、この前の刑事さんには話さなかったんですけど……」彼女は気まずそうな顔で口を開いた。「電話に出たの、たぶん私だと思います」

「何か思い出したんですか」

「いえ、相手の人の名前は覚えてないんです。だから前に刑事さんが来た時には、知らないとしかいえなかったんです。ただ、古芝君に関係しているってことだったら、もしかしたらあの時の電話だったのかもしれないと思って……」

「というと？」

「古芝君のことを訊かれたんです。おたくの会社に古芝伸吾という人はいますかって。男の人の声でした。ええいますよ、と答えたんですけど」

草薙は一歩前に出た。「すると相手は何と？」

「ありがとうございましたと礼をいった後、単なる確認だから心配しないでくれ、みたいなことをいって電話を切ったんです。名乗らなかったように思います。何だろうと気になりましたけど、心配いらないってことだったので、あまり考えないようにしました」

「その電話のことを古芝さん本人に伝えましたか」

「いえ、余計なことかもしれないと思ったものですから。話したほうがよかったんでしょうか」

「いや、それは自分には何とも……」

その電話の主が長岡修だとしたら、かけてきた目的は何か。古芝伸吾がいることを確認し、何をやろうとしていたのか。

それからもう一つ、とトモちゃんがいった。「じつは、この前も電話があったんです」

「この前？」

「古芝君が無断欠勤して二日目だったと思います。古芝君はいますかと訊かれました。休んでるんですよと答えたら、そうですかといって電話は切れちゃったんです。相手の名前を訊く暇もありませんでした」

「男性の声でしたか」

「そうです。大人の男性だったと思います」

「その番号、電話の履歴に残ってますか」

「それが、公衆電話からだったんです。今度かかってきたら名前だけでも訊こうと思ってたんですけど、それっきりです」

「公衆電話ねえ……」

今時、余程のことがないかぎり公衆電話は使わない。着信番号を残したくないが、非通知だと拒否される可能性も考えて、公衆電話を使ったのではないか。

草薙が考えにふけっていると、「あっ、ユリちゃん」とトモちゃんが声をあげた。門のほうを向き、手を振っている。見ると、ベージュのコートを羽織った若い娘が工場の前を通りかかったところだった。歩きながらこちらを向き、ぺこりと頭を下げた。大きな目が印象的だ。

「社長のお嬢さん。ユリナちゃんっていうんですけどね。いい子なんですよ、優しくて」中年女性のトモちゃんは楽しそうにいった後、「あっ、そうだ」と何かを思いついた顔になった。「ユリちゃん、よく古芝君に会いに来てましたよ」声をひそめていった。

聞き捨てならない話だった。「どういう時にですか」

「休憩時間とかにです。高校の数学とか理科とかの勉強を教えてもらいに来るんです。古芝君は教えるのもうまかったみたいです。でもたぶんそれだけじゃなくて、ユリちゃんは古芝君のことを好きなんだろう、なんてみんなで噂してたんですけどね。あっでもこれ、社長には内緒ですよ」唇に人差し指を当てると、それじゃあ、といってトモちゃんは事務所に向かった。

彼女の姿が事務所の中に消えるより先に、草薙は駆け出していた。門を出ると数十メートル先に見える倉坂の娘を追った。

環七通り沿いにファミリーレストランがあった。何を飲みたいかと倉坂由里奈に訊くと、何でもいいという答えが返ってきた。ドリンクバーを注文したが、彼女は自分で飲み物を取りに行く気はないようだった。仕方がなく、草薙はコーヒーを取ってきて彼女の前に置いた。ありがとうございますと細い声でいってくれたが、じっと俯《うつむ》いたままで、カップに手を伸ばす気配はなかった。

不機嫌なわけではなく緊張しているのだろう、と草薙は解釈した。無理もない。帰宅途中でいきなり見知らぬ男が声をかけてきて、しかも刑事だというのだから。こうして付き合ってくれるだけでもありがたいと思わねばならない。

「事情があって、古芝伸吾君のことを捜しているんだ。倉坂社長……君のお父さんも心配しておられたよ。君もそうなんじゃないの？」

倉坂由里奈が何かを呟いた。だが声が小さ過ぎて聞き取れない。えっ、と聞き直した。

彼女は軽く咳払いをしてから、「そんなに親しくないから」といった。

「でも勉強を教えてもらってたんじゃないの？」

「そんなの……一回か二回だけです」

「事務所の人の話では、そんな感じではなかったけどなあ」

「本当です。事務所の人が何か勘違いしているんです」倉坂由里奈は下を向いたまま、強い口調でいった。

「そうなのかな。まあ、それならそれでもいいんだけど、彼の消息について何か心当たりはないかな。勉強の合間に雑談とかするでしょ。そういう時に、古芝君がよその土地の話をしたことはないかな。かつて住んでいたところとか、これから住みたいと思っているところのことなんかを」

倉坂由里奈の前髪が揺れた。「そんな話、してません」

「じゃあ、友人の話は？親しくしていた人のことを。」

「してませんっ」いきなり彼女は立ち上がった。「あたし、本当に何も知らないんです。だから何も答えられません。ごめんなさい」一気にいい放つと、鞄を抱えて店を飛び出して行った。最後までコートを脱がず、草薙の顔を見ることもなかった。

周りの客がじろじろと見ている。草薙はコーヒーを啜《すす》った。

あの反応をどう見るべきか、判断は難しかった。知らない男から好きな男について根掘り葉掘り訊かれたら、面白くないに違いない。ごくふつうの反応ともいえるが――そんなことを考えていたらスマートフォンが鳴りだした。間宮からだった。はい、と電話に出る。

「古芝について何かわかったか」

「そうですね……優秀な従業員だったということは、よくわかりました」

「何だ、そりゃあ」

「あと、長岡さんの目的が古芝伸吾だったらしいことも判明しました」草薙はトモちゃんから聞いたことを話した。

「すると被害者が古芝伸吾に接触した可能性は大いにあるということだな」

「そういうことです」

「よし、了解した。ところで、これから内海と合流してくれ。古芝秋穂さんの死因が判明した」

「何でしたか」

「たぶんおまえの想像外の話だ。死因は卵管破裂によるショック死。古芝秋穂さんは妊娠していた。しかも子宮外妊娠だったというわけだ」

「それは……たしかに想像外ですね」

「もう一つ、想像外のことを教えてやろう。亡くなった場所だ」

「場所？　どこです」

間宮は勿体をつけるようにひと呼吸置いてから、「都内のホテルだ」と答えた。「一流ホテルのスイートで亡くなっていたそうだ」

16

問題のホテルは六本木にあった。

ロビーで内海薫と合流した草薙は、当時の状況をよく知る従業員二人から事務所で話を聞くことにした。古芝秋穂がチェックインした際に応対したフロントクラークと、遺体を発見したベルボーイだ。

吉岡という落ち着いた雰囲気のフロントクラークによれば、古芝秋穂がチェックインしたのは、昨年の四月二十日、午後十一時過ぎのことだった。部屋は一泊十万円もするスイートで、彼女は十三万円のデポジットを現金で支払っている。連れはいなかった。

「本名で泊まっていたのですか」

草薙の問いに、吉岡は小さくかぶりを振り、一枚のコピー用紙を出してきた。宿泊カードの写しらしい。「こういうお名前でした」


そこには『山本春子』という名前と千代田区の住所が記されていた。古芝秋穂が千代田区に住んでいたことはない。『明生新聞』の本社が千代田区にある。おそらくその住所を少し改変したものだろう。

「このホテルを利用したのは、その時が初めてでしたか」

この質問に対しても、吉岡の反応は肯定的ではなかった。

「このお名前で御利用されたのは初めてでした。データベースに名前が残っておりませんでしたから。ただ、以前にもいらしたことはあります。その時も、たまたま私がチェックインの手続きをしましたから覚えているんです。私のほかにも、見たことがあるといった者が何人かおりました」

職業柄、客の顔を覚えるのは得意なのだろう。

「すると古芝秋穂さんは、かなり頻繁にこのホテルに来ていたということですね。ただし、そのたびに名前を変えていた」

「そういうことではないか、と私共では考えております」

草薙は頷いた。事情が呑み込めてきた。

「チェックインの時、何か変わった様子は？」

それが、と吉岡は表情を曇らせた。

「どこか具合が悪そうにされていました。顔色も良くなくて、大丈夫ですかとお尋ねした覚えがあります。大丈夫だとおっしゃったのですが、あの時にはもう異変が起きていたのかもしれません」

草薙は頷き、視線をベルボーイに移した。年齢は二十代前半といったところだろう。

自己紹介の際、松下と名乗った。

「あなたが部屋に行ったのは何時頃ですか」

「翌日の午後一時頃です。チェックアウト時刻が正午なんですけど、電話をかけても繋がらないので様子を見に行ってくれとフロントからいわれて……」

「行ってみると、女性が死んでいたと？」

松下は緊張の面持ちで顎を引いた。

「ベッドの上で横たわっていました。ベッドカバーが血で真っ赤になっていて、それであわててフロントに連絡したんです」

そいつは驚いただろうな、と草薙は若いベルボーイに同情した。

「その時、お客様が殺されていると電話でいってしまいました。てっきり刃物か何かで刺されていると思ったものですから。おかげでパトカーまでやってきて大騒ぎに……。後で上司からずいぶんと叱られました」松下は申し訳なさそうに肩をすくめた。

無理もない、と草薙は思った。経験の浅い刑事の中には、多量の出血を見て平静を失う者も少なくない。

その後のことは内海薫が資料を見せてくれたので大体わかっている。救急隊員によって死亡が確認されたので、遺体は病院ではなく所轄の警察署に運ばれた。だが他殺でも自殺でもなく、卵管破裂に伴う出血多量によるショック死と判明し、事件性はないと判断されたのだ。

「そういう部屋を女性が一人で使うということはあまりないと思うのですが、その点はいかがですか」草薙は吉岡と松下を交互に見ながらいった。

「それはおっしゃる通りです」吉岡が答えた。「おそらくどなたかが御一緒だったと思います。でもそれについては何もわからない、としかお答えしようがございません。隠しているのではなく、ホテルとはそういう施設だということです」

「わかりました。では最後にもう一つだけ」草薙は人差し指を立て、隣の内海薫を見た。

「こういう人が、こちらに来たことはありませんか」内海薫は写真を二人の前に置いた。長岡修の写真だ。

松下は首を捻ったが、吉岡が、ああ、と首を縦に動かした。「この男性ですか」

「御存じですか」草薙が訊いた。

「先月の末にいらっしゃいました。昨年の四月に起きた女性の死亡事故に関する取材をしているので詳しい話を聞きたい、といわれました。どうやらインターネットで知ったような口ぶりでした」

「それで何と？」

「プライバシーに関わることなので、御遺族でない方には何も話せないと答えました。ただ、死亡事故ではなく病死だということだけは、はっきりと申し上げました」

「なるほど」

ホテルにとって死亡事故と病死では大違いだ。その点だけは明確にしておきたかったのだろう。

とにかくこれで、長岡修と古芝伸吾は完全に繋がった。その繋がりには、古芝秋穂の死が関係している。

「御遺族という言葉が出ましたが」内海薫がいった。「お会いになったことがあるんですか？　亡くなった女性の遺族に」

「いえ、私は会っておりませんが……」吉岡が松下を見た。

「僕は会いました、弟さんに」松下がいった。

「いつ頃ですか」草薙が訊いた。

松下は首を捻り、「去年の五月頃だったと思います」と答えた。「フロントから連絡があって、お姉さんが亡くなった時の様子を教えてやってほしいといわれて、この部屋で話しました」

「どういうことを話しましたか」

「大したことじゃありません。室内の様子とか部屋番号のこととか……。すみません。だいぶ前のことなので、細かいことは忘れちゃってます」

「この人ですか」草薙は古芝伸吾の顔写真を見せた。履歴書に貼ってあったものだ。

そうです、と松下は答えた。

二人に礼をいい、草薙たちは事務所を後にした。

「問題は相手の男性ですね」歩きながら内海薫がいった。「古芝秋穂さんは、誰と密会していたんでしょう」

密会と決めつけているが、草薙も異論はなかった。

「女性に偽名でチェックインさせ、後から自分は直接部屋に行く。かなりの慎重派だな。おそらく所帯持ちだろう。不倫ってわけだ」

内海薫が不意に立ち止まり、エレベータホールを指差した。

どうした、と草薙は訊いた。

「さっき草薙さんを待っている時に気づいたんですが、あのエレベータを使うと地下の駐車場から直接客室に行けるみたいなんです」

「ふうん、なるほど」草薙は相槌を打った。彼女が何をいいたいのかがわかった。

つまり、と内海薫は続けた。

「なるべく、ほかの利用客やホテルマンと顔を合わせたくない人にとっては、非常に都合のいいホテルだということになります」

「古芝秋穂さんたちがこのホテルを使っていた理由も、そこにあるというわけだな」草薙は続けた。「相手は世間に顔を知られた人物だった」

「はい。そして長岡さんは昨年の秋頃から、大賀代議士の女性関係やスキャンダルを追っていました」

草薙は顔をしかめ、親指で鼻の先を弾いた。

「本部に戻るか。この土産話を、お偉方がありがたがってくれるとは思えないけどな」

「その前に地下の駐車場に行ってみましょう」内海薫がバッグからデジカメを取り出し、エレベータに向かって歩きだした。

約一時間後、草薙は間宮や内海薫と共に警察署の小会議室にいた。机を挟んで向き合っている相手は、今回の事件の実質的な責任者である管理官の多々良《たたら》だ。ほかの捜査員には話を聞かせないほうがいいという間宮の判断で、この部屋が使われることになった。

机の上には二枚の写真が置かれていた。一枚は、長岡修のパソコンから見つかった、大賀仁策の車を尾行して撮影したと思われるもので、駐車場らしき場所が写っている。もう一枚は、古芝秋穂が死亡したホテルの駐車場で内海薫が撮ったものだ。同じ場所だということは一目瞭然だった。

長岡が撮った写真の日付は一昨年の十一月になっている。まだ古芝秋穂が生きていた頃だ。

白髪に金縁眼鏡、上品なインテリに見える多々良は、草薙たちの報告を聞き、まずは低く唸った。

「死んだ女性の相手は大賀代議士かもしれんってわけか。そいつは驚いたな。もしそれが事実なら厄介な話だ」重たい口調でいった。

「宿泊の手続きをすべて女性に、しかも偽名でやらせていることや、毎回高価なスイートを利用していることなども、相手が大賀代議士であるならば納得できます。政治家の担当記者というのは海外視察などに同行することもあるそうですから、特殊な関係になったとしても不思議ではありません」

間宮の説明に、多々良は苦々しい顔で頷いた。

「で、相手が大賀代議士だとして、今回の事件にどう関わってくる？」

間宮が草薙を見た。おまえから説明しろ、ということのようだ。

「被害者の長岡さんは、スーパー・テクノポリス計画に関する取材を進めると同時に、大賀代議士の私生活についても調べていたと思われます。尾行したと思われる写真が残っていたのが、その証拠です。やがて長岡さんは、代議士の不自然な行動に気づいたのではないでしょうか。お供を連れず、自分でベンツを運転してホテルの地下駐車場に入る、という行動です。誰でも女性との密会ではないかと疑います。問題は相手が誰かということですが、おそらくなかなか突き止められなかったんだと思います。ところが最近になって、昨年の四月に担当女性記者が亡くなった場所が例のホテルだったことを知り、その女性が大賀代議士の愛人だったのではないかと推理した。そこで詳しいことを知るために弟に接触することにした、というわけです」

指先で机を叩きながら草薙の話を聞いていた多々良が、じろりと見つめてきた。

「それで？　弟から話を聞き出すなりして、担当女性記者が大賀代議士の不倫相手だったことを突き止めたとする。それでどうして殺されなきゃならんのだ」

「それは……そこから先はまだ何とも」草薙は口籠った。

「あの、発言してもよろしいでしょうか」内海薫が遠慮がちに口を開いた。

いってみろ、というように多々良は顎をしゃくった。

「ホテルで話を聞いているうちに疑問に思ったんですが、なぜ古芝秋穂さんは一人だったんでしょうか」

「そりゃ相手が、つまり大賀代議士が帰ったからだろう」何をわかりきったことを、とばかりに多々良がいう。

「では、代議士はいつお帰りになったんでしょう。といいますのは」内海薫は自分の手帳を開いた。「所轄の警察署から取り寄せた資料によりますと、古芝秋穂さんの遺体が発見された時点で、死後十時間以上は経過していたと見られています。発見が午後一時ですから、亡くなったのは遅くても午前三時です。その時すでに代議士は帰っていたということになりますが……」

「不思議な話ではないだろう。代議士は家庭持ちだ。スイートを予約したからといって、泊まるとはかぎらない。愛人との事を終えたら、さっさと帰るのがむしろ自然だ」

「それはそうかもしれませんが」内海薫は唇を舐めた。「服を着ていたんです」

「何？」

「服です。古芝秋穂さんは着衣の状態で亡くなっていたそうです。想像してみてください。不倫のために密会した女性が、真夜中に服を着ているでしょうか」

多々良は間宮と顔を見合わせた後、草薙に視線を向けてきた。どう思うか、という目だ。

「不自然ですね」草薙はいった。「服を着ていたということは、まだ事に及んでいなかった可能性があります。つまり古芝秋穂さんが卵管破裂を起こした時、大賀代議士は一緒にいたのかもしれない」

「おいおい、めったなことをいうもんじゃないぞ」多々良が指先を向けてきた。「だとしたら、なぜ代議士は救急車を呼ばなかったのかって話になる」

「私がいいたかったのは、まさにそれです」内海薫がいった。「不倫が発覚することをおそれた代議士は、どこにも連絡せずに逃げた。その結果、相手の女性が亡くなった。もしそうだとすれば、これは大きなスキャンダルになります。私は政治のことはよくわかりませんが、場合によっては政治家生命に関わるのではないですか」

「場合によってはじゃない。確実に致命傷になる」そういったのは間宮だ。

「だったら――」

ストップ、と多々良は若い女性刑事を制した。

「君のいいたいことはわかった。被害者の長岡修氏もまた、その推論に達した。そこでそれを記事にされたくない何者かが彼の命を奪った、というわけだな」

「おっしゃる通りです」

「たしかにそれで一応の筋は通る。しかし君は大事なことを忘れている。何事にも証拠が必要だということだ。その女性との間にそんな関係はない、と代議士がしらを切れば済む話じゃないか。仮に関係を示す何かがあったとしても、その時は一緒にいなかったと主張すれば何も問題はない。女性が服を着ていたとかは単なる状況証拠だ。違うか」

「それは……たしかにそうですが」内海薫の声がトーンダウンした。

しかし、といって多々良は腕を組み、部下たちを見回した。

「我々がまだ摑んでいない何かが絡んでいるとすれば話は別だ。いずれにせよ、この件が今回の事件に無関係だとは思えない。課長や理事官と相談し、捜査の進め方を検討してみる。方針がはっきりするまでは、このことは迂闊に他言しないように。ほかの捜査員に対してもだ。わかったな」

大物代議士が関わってきたとなって、多々良も慎重になっているようだ。草薙たちとしては、わかりました、と答えるしかなかった。

17

門の前に立ち、校名を改めて眺めた。あの男の出身校というだけで、統和高等学校、と彫られた文字にさえも風格が漂っているように感じられる。実際、歴史はあるし、進学校としての知名度も高い。

ここはあの男——湯川学の出た学校だが、古芝伸吾の出身校でもある。彼の行方について何か手がかりが得られはしないか、と淡い期待を抱いてやってきた。事前に高校三年の時の担任だった谷山という教師には連絡してある。

生徒たちが帰宅を始めているところだった。授業は終わったらしい。

谷山とは来客室で向き合った。小柄で色の黒い男性だった。国語を教えているという。一冊のファイルと卒業アルバムらしきものを抱えていた。

「彼が大学を辞めたという話は、先日警察の方から連絡をいただいて初めて知りました。驚きました。全く聞いていなかったものですから」

「卒業後、古芝君から連絡は？」

谷山は首を振った。

「一度もありません。まあ、卒業生というのは大抵そういうものなのですが」

「大学を辞めたことについてはどう思われますか。彼はそういうタイプだったのですか。つまり無理をしてまでは大学に拘《こだわ》らないというか……」

いやあ、と谷山は大げさに首を傾げた。

「それはちょっと考えられないんです。進路指導の時、どんなに苦労をしてでも大学だけは卒業したいといってましたからね。お姉さんの世話になっていましたが、自分も可能なかぎりは働くといってました。幸い奨学金も受けられるようになって、これで心配がなくなりましたといってたんですが」

「電話でもお話ししましたが、現在彼は消息を断っています。彼の居場所について、何か心当たりはありませんか」

「いやあ、ありませんねえ」

「高校時代に彼がよく通っていた場所とかは御存じないですか。ゲームセンターとか、ファストフード店とか」

さあ、と小柄な国語教師は顔を歪《ゆが》めた。

「生徒の行動を、そこまでは把握してないですからねえ」

この教師からは有益な情報を得られそうにない、と草薙は判断した。

「古芝君が親しくしていた人はいませんか。クラスメートとか」

「うーん、そうですねえ」谷山はテーブルの上でファイルを開いた。

『三年二組』と書かれた名簿には、三十数人の名前と連絡先が並んでいる。

「よく一緒に遊んでいたといえば、このあたりかなあ」何人かの名前を指差した。

頼りない言い方だが、草薙は一応手帳にメモを取った。

「古芝君はクラブ活動はしていましたか。運動部とか」

「どうだったかな。運動部というイメージではなかったんですが」谷山は卒業アルバムを開いた。後ろのほうに体育祭や文化祭の写真があり、さらには各クラブやサークルの記念写真が並んでいた。

これだ、といって谷山が一枚の写真を指差した。

「そうだった、そうだった。物理研究会だ。自己紹介の時、部員がたった一人で、存亡の危機にあるとかいってました」

その写真には古芝伸吾と、彼よりも明らかに年少と思われる二人の部員が写っていた。古芝伸吾は白衣姿で、すました顔をしている。

「部員が一人？　つまり三年生は古芝君だけですか」

「はい。でも無事に一年生が入ったんだなあ」写真を見て、谷山はいった。今まで知らなかったらしい。関心がないのだろう。

同学年の部員がたった一人ということは、サークル活動を通じて親しくしていた仲間もいなかったわけだ。

「顧問の先生はどなたですか」

「物理研究会のですか？　ええと、誰だったかな。訊いてみましょう」

ちょっと失礼といって谷山は携帯電話でどこかにかけ始めた。ぼそぼそと誰かと会話を交わし、電話を切った。

「わかりました。アマノさんという物理の先生です。今、こっちに来てくださるそうです」

ありがとうございます、と草薙は礼をいった。谷山は頼りにはならないが、親切な人柄のようだ。

間もなく現れた教諭は天野と名乗った。前頭部が禿げ上がっているのを補うかのように、後ろの髪を肩まで伸ばしていた。年齢は四十代半ばといったところか。こちらは谷山とは対照的に、ひょろりとした長身だ。

「顧問といっても、特に何もしてないんです。計測器や機材の管理責任者というだけで。部員も少なくて、古芝君の代はとうとう彼一人になってしまったんです」天野は申し訳なさそうにいった。「ところが古芝君が三年生になった時、新入生歓迎会で彼がすごいデモンストレーションをやりましてね、それで二人入ったというわけです。あれには私も驚かされました。物理研究会の古いＯＢに手伝ってもらったようですが、あれほどのものを作るとは思いませんでした。さすがに帝都大で教えているだけのことはあると感心しました」

草薙はメモを取っていた手を止め、教諭の顔を見返した。「帝都大？」

「その手伝ってくれたOBです。帝都大学で教鞭《きょうべん》を執《と》っているそうなんです」

「名前は？」

「名前は……ええと、何といったかな。私は一回しか会ってないんですよねえ」天野は言い訳するように呟きながら、禿げ上がった前頭部を掻いた。「ああ、そうだ。ユカワさん。うん、湯川さんですよ。ノーベル賞を取った人と同じ名字だから覚えているんです」

草薙は大きく息を吸い込み、ゆっくりと吐き出していった。狼狽《ろうばい》を顔に出さないためだった。目の前にいる相手は、草薙と湯川の関係を知らない。

「そのOBの方が古芝君の手伝いをしていたのは、いつからいつまでですか。大体で結構です」

「ええと、古芝君が三年生に上がる直前だから、二年前の三月ですね。二、三週間、一緒にやったといってました。その湯川さん、ほぼ毎日この学校に来てくれたそうですよ。助かったといって古芝君は大層感謝していました」草薙の驚愕には全く気づかぬ様子でにこやかに話した後、天野は不意に怪訝そうな顔をした。「そのことが何か？」

「いえ、何でも。最近、古芝君から連絡は?」

「ありません。谷山先生から聞いたんですけど、行方不明だそうですね。何か事故にでも遭ったんでしょうか」

さあ、と流した。相手の無意味な質問に答えている暇はない。

この教諭から聞き出せることはほかにはないようだ。

「今、部員は何人ですか」

「ええと、三人ですね。今お話しした二人の一年生が二年生になって、去年、新たに一年生が入りましたから」

「その人たちから話を聞くことはできますか」

「それは構わないと思いますが……今日は来てるかなあ」

ぶつぶつと呟きながら天野はスマートフォンを出してきた。生徒に電話をする気らしい。校内で連絡を取るのに携帯電話を使うとは時代が変わったものだ、と草薙は改めて思った。

「生徒と連絡が取れました。二年生の二人がいるようです。今からお会いになりますか」

よろしくお願いします、といって草薙は立ち上がった。

天野が案内してくれたのは、理科第一実験室という札が出ている部屋だった。大きな作業台が八つ並んでいる。主に物理の実験を行う部屋で、化学実験の場合は理科第二実験室を使うのだという。

待っていたのは二人の男子生徒で、石塚と森野といった。どちらも色白で痩せていた。石塚のほうは眼鏡をかけている。

彼等がいた作業台の上にはタブレットと漫画雑誌が載っていた。物理の実験をしていたようには思えない。

天野が二人に草薙を紹介してくれた。古芝伸吾が行方不明になったので調べているそうだ、と説明してくれたのは助かった。おそらく天野自身がそう思い込んでいるのだろう。

「古芝君とは今でも連絡を取り合ってるのかな」草薙は質問を始めた。

「古芝さんが卒業してからは、殆どないよな」森野が石塚に同意を求めた。

うん、と石塚が頷く。「去年のあの時が最後じゃね？」語尾を上げていった。見かけは秀才タイプでも、しゃべり方は今時の若者だ。

「あの時というと？」草薙は訊いた。

「去年の……十月頃だっけ？」

石塚の問いかけに森野は頷く。「だったと思う」

「連絡があった？」

「じゃなくて、ここへ来たんです」石塚が答えた。

「来た？　古芝君が？」

はい、と石塚。先輩だから、いらっしゃった、という敬語を使うべきだったことには気づいていない様子だ。「私物を取りに来たっていってました」

ここでもまた敬語がおろそかにされたが、そんなことに拘っている場合ではない。

「私物って？」

「先輩が作った装置です。分解して物置にしまってあったんですけど、邪魔になるだろうからって。結構大きなものだったので、車まで運ぶのを手伝いました」

「車というと、白のワンボックス・バン？」

石塚は少し考える顔になり、「そんな感じの車だったと思います」と答えた。

「で、それ以来、古芝君はここには来ていないんだね」

たぶん、と石塚は答えた。さらに隣で森野が、「一昨日《おととい》も、そう答えたんですけど」

と躊躇いがちにいった。

「一昨日？　誰に答えたわけ？」

森野は石塚と顔を見合わせた。どちらも当惑した表情だ。

「どういうこと？　話してくれないかな」

話しなさい、と横で聞いていた天野が二人にいった。

森野は頭を掻き、少し唇を尖らせていった。「OBの人がここに来たんです」

「OB？」

「サークルのOBです。その人からも古芝さんのことを訊かれて……」

「それは……どういう人物だった」草薙は訊いた。だが高校生たちの答えを聞く前に、すでにある人物の顔が頭に浮かんでいた。

18

行き先表示板では『在室』のところに赤い磁石が付いていた。それを確認するとノックをし、返事を待たずにドアを開けた。大股で足を踏み入れ、室内を見回す。湯川が自分の席で足を組んで座っていた。いつもの白衣は脱いでいる。

湯川はゆっくりと椅子を回転させ、草薙のほうに身体を向けた。

「いつも以上に乱暴な登場の仕方だな。来るなら電話の一本ぐらいは寄越すのが礼儀だと思うが」

「居留守を使われたくなかったんでね」

「居留守？　なぜそんな必要がある？」

草薙は、ずかずかと湯川に歩み寄った。

「おまえの母校に行ってきた。統和高校に」

湯川は顎を上げた。

「なかなか良い学校だろう。もう少しすれば、桜が満開になる。ただし、秋に毛虫が出るのには閉口したけどね」

その軽口は無視し、草薙は湯川の正面に立ち、見下ろした。

「なぜ隠していた？　おまえ、古芝伸吾のことはよく知っていたはずだ」

湯川は、やれやれといった表情で首を振った。

「物理研究会の名ばかりの顧問から聞いたのか。あの役立たずの沙悟浄《さごじょう》から」

「部員勧誘のデモンストレーションを手伝ったそうじゃないか。しかも三週間も」

「正確には十八日間だ」

「そんなことはどうでもいい。俺が古芝伸吾の名前を出した時、知らないといったのはなぜだ」

「知らないとはいってない。コメントのしようがない、といっただけだ」

草薙の記憶が蘇った。たしかにそうだったことを思い出した。

「湯川、ここは一つ、腹を割って話そうじゃないか」草薙は作業台に腰を載せた。「この間俺は、今回の事件は妙におまえと縁があるといった。でもそんな曖昧な言い方で済ませられるものじゃないって気がしている。俺としては、こういわざるをえない。偶然が多すぎるってね」

湯川は黙ったままで立ち上がり、流し台に近づいた。そして草薙がここへ来た時にはいつもするように、マグカップにインスタントコーヒーの粉を入れ始めた。

「おまえは本当のことを話していない」親友の後ろ姿を見ながら草薙はいった。「何を隠している？　正直に話してくれ」

インスタントコーヒーを入れた二つのマグカップを持って、湯川が戻ってきた。ひとつを草薙の横に置いた。

「僕としては、こういう展開は避けたかったんだが、どうやらそういうわけにはいかなくなったみたいだな」湯川はマグカップを手に椅子に腰掛けた。「今の君の質問に答えるならば、古芝君に関することはすべて、ということになる」

「俺が古芝伸吾の名前を出したのは、前回ここへ来た時だ。だけど実際にはそれ以前から、今度の事件に古芝が関わっていることに気づいていたというのか」

湯川は肩をすくめた。「まあ、そうだ」

「いつから？」

「最初からだ」

「最初って？」

「今回の捜査で君が最初にここへ来た時から、という意味だ」

「ちょっと待て。俺が最初にここへ来たのは、被害者の発信履歴に帝都大学があり、名刺ホルダーにおまえの名刺が入っていたからだ。おまえは例の壁に穴が開く動画を長岡さんから見せられ、アドバイスを求められただけだといったが、そうじゃないんだな」

湯川はマグカップの中を見つめた。

「まるっきり嘘というわけではないが、かなり言葉足らずであることは認めよう」

「どういうことだ。長岡さんは、一体何のためにおまえに会いに来た？　正直に話してもらおう」

すると湯川は珍しく辛そうに眉根を寄せた後、何かを吹っ切るように息を吐き出した。

「長岡さんから、倉庫の壁に穴が開く動画を見せられたのはたしかだ。しかし、その前に彼はこういった。これはある装置による現象だ、その装置を作った若者はあなたの指導を受けたらしい、それを踏まえた上で見てほしいと」

「動画を見た瞬間、おまえにはわかった。ある装置とは何か。それを作った若者とは誰か。そうだな？」

湯川は黙り込んでいる。肯定の意だと草薙は解した。

持参してきた鞄から一枚のDVDを出し、湯川の机に置いてあるパソコンを見た。

「そのパソコン、DVDを再生できるんだろ。使わせてもらっていいか」

「何か楽しい映像でも見せてくれるのか」

「とにかく見てみろ」

湯川はパソコンのトレイを開け、草薙から受け取ったDVDをセットした。間もなく、液晶画面に映像が現れた。

場所は例の理科第一実験室だ。作業台の上に、長い金属板を組み合わせたような装置が載っている。さらに草薙には名称も用途も不明の器具が繋がれていた。

やがて一人の若者が作業台のそばに立った。古芝伸吾だった。紺色のジャージ姿で、ゴム手袋を嵌《は》めていた。

「それではこれより発射実験を行います。一日に一度しかできないので、皆さん、どうか見逃さないようにしてください。それから、大丈夫だと思いますが、念のため、先程配った安全眼鏡をしっかりかけてください」

古芝伸吾が話しかけている相手は、どうやら少し離れたところにいるらしい。画面には映っていない。

彼は自分も眼鏡をかけ、装置から離れた。「では、カウントダウン、スタート」声だけが聞こえる。

スリー、ツー、ワン、という掛け声の直後だ。装置の先端から大量の火花が飛び出し、同時に激しい破裂音が響いた。予想していなければ、心臓に悪そうなほど大きな音だ。大きなどよめきが聞こえるが、見学者たちのものだろう。

再び古芝伸吾が現れた。火花が散った先まで行くと、そこにセットしてあったフライパンを手にした。

「はい、このように見事に貫通させられました」

そのフライパンがアップになった。中央に直径三センチほどの穴が開いていた。

以上が映像のすべてだ。物理研究会のパソコンに保存してあったものを、コピーさせてもらったのだ。

「どう思う?」草薙は湯川を見た。

物理学者は眼鏡の中央を指で押し上げた。

「初めて見たよ。素晴らしいの一言に尽きる。実験は完璧に成功している。入部者募集のデモンストレーションはうまくいったようだな」そういってパソコンのトレイを開け、DVDを草薙のほうに差し出した。

「レールガンというそうだな」DVDを受け取りながら草薙はいった。

「その通り。原理を物理研究会の連中から教わったか」

「一応はな」草薙は口元を曲げた。「フレミングの左手の法則だろ」言葉だけは知っているのでいってみた。

「そう、ローレンツ力だ。金属製の二本のレールの間に伝導体を挟み、瞬間的に大電流を流せば、発生する磁場との相互作用で伝導体には大きな力がかかる。原理は至ってシンプルだ」

「そのレールガンを古芝伸吾は部室の物置から持ち出している。昨年の秋に。そのことをどう考える？」

草薙の問いに湯川は答えない。

「動画を見せた後、長岡さんはおまえに何をいったんだ」

湯川は宙の一点を見つめていった。「この道具で人殺しは可能か、と訊かれた」

草薙は唾を呑み込んでから訊いた。「何と答えた」

「レールガンは人殺しの道具ではない、と答えた」

「長岡さんは何と？」

「人にめがけて発射したらどうなるか、と訊いてきた。この壊れた壁のようになるのではないか、と」

「おまえはどう答えた」

「やってみないとわからないが、そんなことをする意味がわからないと答えた」

「どういうことだ」

湯川は草薙が持っているＤＶＤを指差した。

「今の映像からもわかるようにレールガンは大がかりな装置だ。拳銃やライフルのように手軽に持ち運べるものじゃない。人をめがけて撃つには、その相手をどこかに縛りつけでもしないかぎりは命中しない。そんなことをするぐらいなら刃物か何かで殺せばいい。わざわざレールガンを持ち出すまでもない。僕がそういうと長岡さんは、何か手はないか、あなたならどうするかと問うてきた」

「で、おまえは何と答えたんだ」

「動いている人間をレールガンで撃つことなど不可能だと答えた。そもそも自分なら、そんなことをしようとも思わない。そして——」湯川は眼鏡を指先で押し上げた後、草薙の顔を見据えてきた。「そのレールガンを作ったのが自分の知っている若者ならば、彼もまたそんな愚かなことはしないだろう、と付け加えておいた」

「それに対して長岡さんは何といった」

「わかりました、と」

「長岡さんの口から古芝伸吾という名前は出なかったのか」

「出なかった。ただ、こんなことをいった。この映像は隠し撮りしたもので、レールガンの製作者は撮影されたことを知らない。だから本人には確認しないでもらいたい。自分がここへ来たことも告げないでもらいたい。そのかわり、彼が愚かな行動に出ることは自分が責任を持って阻止する、とね」

「長岡さんは古芝からおまえのことを聞いたのか」

「たしかめなかったが、そうではないかと思う」湯川はマグカップのコーヒーを飲み、草薙の横に目を向けた。「君も飲んだらどうだ。冷めるぞ」

「今回の件で俺が最初にここへ来た時、なぜそのことを話さなかった。それを聞いていたら、俺たちはもっと早く古芝伸吾に辿り着いていた」

「古芝君は殺人事件とは無関係だ。そう確信していたから、余計なことはいわないほうがいいと思ったんだ」

「だったら、なぜクラサカ工機に電話をかけた？」

草薙の言葉に、湯川の眉がぴくりと動いた。それを見て、自分の勘が当たったことを草薙は確信した。

「事件発生の数日後、何者かがクラサカ工機に電話をかけている。公衆電話からだ。古芝伸吾がいるかどうかを尋ねたそうだ。あれはおまえだろ」

湯川は諦念の色を浮かべて頷き、マグカップを置いた。

「殺人事件に古芝君が関わっているとは思わなかったが、何となく気になって、まず携帯電話にかけてみた。しかし繋がらなかったので、クラサカ工機に電話したというわけだ」

「古芝がクラサカ工機に就職していたことも知っていたのか」

「この大学に入学した直後、挨拶に来てくれた。それ以来、何の連絡もないので電話してみたら、お姉さんが亡くなったので中退し、就職したという。その時、どこの会社なのかも聞いた」

「なるほど。で、クラサカ工機に電話をかけ、古芝伸吾が欠勤していることを知ったおまえは、ますますレールガンのことが気になり始めた。二年前に二人で作ったレールガンだ。そこで母校を訪ね、レールガンがまだ保管されているかどうかを確認することにした。そういうことだな」

湯川は小さく息をついた。「概《おおむ》ね、君のいう通りだ」

「倉庫の壁に突然穴が開いたこと、バイクが炎上したこと、屋形船の窓ガラスが割られたこと、これらはすべてレールガンを使ったと考えれば説明がつくんだな」

「レールガンの可能性もある、とだけ答えておこう。ただし――」湯川は続けた。「古芝君が殺人事件に関わっている可能性はゼロだという考えに変わりはない。彼を追っても無駄だ」

「ではなぜ古芝は学校からレールガンを持ち出した？　夜中に何度も発射させた理由は？」

「それが彼の仕業だと決まったわけではないだろ。仮にそうだとしても、彼に訊いてみないことには目的はわからない」

草薙は湯川を見つめた。迷ったが、この男には話しておこうと思った。

「一刻も早く、古芝伸吾を見つけだす必要がある。俺の考えでは、彼が姿を消したのは復讐のためだ」

「何？」湯川が眉をひそめた。

草薙は古芝秋穂の死について、さらに不倫相手だった大賀仁策に見殺しにされた可能性があることなどを話した。

「長岡さんが古芝伸吾に接触した経緯はまだよくわからない。しかし彼が古芝秋穂さんの死に疑問を抱いていたことは、ホテルに聞き込みに行っていることなどから明白だ。そんな長岡さんが、なぜレールガンの威力を示す映像を撮影したのか。俺の推測だが、長岡さんは古芝伸吾の目的を察知したんだと思う。それはすなわち復讐だ。電話一本かけるだけで助けられたはずなのに、それをせずに姉を見殺しにした大賀仁策を、レールガンで撃ち殺そうとしているんだ」

湯川は眼鏡を外し、机の上に置いた。険しい目を草薙に向けてきた。「ありえない」

「なぜそういいきれる？　古芝伸吾が好青年だからか。ではレールガンを持ち出した理由は何だ？　倉庫の壁を射抜いたわけは？　レールガンの威力を試すためじゃないのか」草薙は立ち上がり、友人の胸を指差した。「警視庁捜査一課の捜査主任として帝都大の湯川准教授に依頼する。これから俺と一緒に特捜本部へ行き、レールガンについて解説してもらいたい。おまえが古芝伸吾に作らせた武器のことを話してもらいたい」

「断る。それにレールガンは武器ではない。実験装置だ」

「人を殺すために使えば、それは武器だ」

「だから彼はそんなことはしないといっている」

二人は睨み合った。無言で視線を戦わせた。

先に目をそらしたのは草薙のほうだった。

「おまえの協力が得られないのならば仕方ないな。レールガンの説明は科捜研の人間にでも頼もう。映像があるから、何とかなるだろう。ただし――」深呼吸を一つしてから続けた。「今回の事件が解決するまで、おまえとは友人としては接しない。ここへ来る時があるとすれば刑事としてだ」

湯川はゆっくりと頷いた。「覚えておこう」

草薙は身体を反転させ、真っ直ぐにドアに向かった。湯川から声が掛かることはなかった。

19

ノートパソコンの画面で、古芝伸吾によるレールガン実験の映像を目にし、間宮は顔をしかめた。

「若い奴ってのは厄介だな。馬鹿は馬鹿で困るが、優秀すぎるのも考えものだ。こんなものを作っちまうんだからなあ。湯川先生を責めたくはないが、とんでもない弟子を育ててくれたもんだ。しかも、その弟子のことを隠してたとはな」

「科捜研の人間に見てもらいましたが、この状態でも十分に殺傷能力はあるそうです。しかも現在は、さらに改良が加えられ、威力を増している可能性があります」草薙は例の三つの怪現象を示す写真を間宮の前に並べた。「古芝伸吾はクラサカ工機に入社し、金属加工の高度な技術を身に付けました。もしかしたら、最初からレールガン改良が目的の就職だったのかもしれません」

「大学を辞めたのも、か」

「おそらく」

間宮は机の上で頬杖をつき、吐息を漏らした。

「一年近くも前から復讐を決意していたというのか。恐ろしい執念深さだな」

「父親を亡くして以来、古芝伸吾にとって姉の秋穂さんは唯一の肉親であり親代わりでした。ホテルで死亡した状況を考えると、大賀代議士を殺したくなるほど憎んでも不思議ではありません」

「その大賀代議士についてだが……」間宮は周囲を見回してから、小さく手招きした。ほかの人間には聞かれたくないらしい。事件に大賀仁策が関わっているかもしれないということは、間宮の直属の部下など、ごく一部の人間にしか知らされていない。

草薙は顔を寄せた。「何かわかったんですか」

「古芝秋穂さんと特別な関係にあったんじゃないかという噂は、一部の人間たちの間で流れていたらしい。最近では誰もいわなくなったようだがな。古芝さんが亡くなったことで、噂も自然消滅したんだろう」

「その噂を長岡さんが耳にした可能性はありますね」

間宮は頷いた。「大いにある」

「それであれこれ調べるうちに、古芝秋穂さんが例のホテルで急死していることを知り、詳しい話を聞くために古芝伸吾に会いに行った、ということですかね」

「そんなところじゃないか。じつは地取りの連中が、古芝が以前住んでいたマンションで、興味深い話を拾ってきた」

「以前のマンションというと、秋穂さんと住んでいた部屋ですね」

古芝伸吾は、昨年の五月にクラサカ工機のそばにあるアパートに引っ越している。それまでの部屋は姉と同居だったので、一人で住むには広すぎて勿体ないからだろう。

「二か月ほど前、古芝伸吾の引っ越し先を知らないかとマンションを訪ねて回っていた人間がいたらしい。年格好から考えて、長岡さんである可能性が高い」

「なるほど。それで、教えた人間はいたんですか」

間宮は首を横に振った。

「今のところ、いないようだ。一番親しくしていたのは隣の住人らしいが、古芝伸吾はその人にも引っ越し先は告げていない。ただ、足立区の部品工場に就職したことは話したようだ。だから長岡さんから引っ越し先を尋ねられた時、隣の人はそう答えたらしい」

草薙は指を鳴らした。

「それを聞いて長岡さんは、足立区にある該当しそうな会社に片っ端から電話をかけていった。そうしてついに、クラサカ工機に古芝伸吾がいることを突き止めた」

「そういうことだと思う」

「繫がりましたね。これで大賀代議士が古芝秋穂さんとの関係を認めてくれれば、ほぼ完璧なんですが」

「声が大きいぞ」間宮が顔を歪めた。「そのことだが、刑事部長が非公式に問い合わせたらしい。事務所からの回答は、古芝という記者のことは覚えているが個人的な繫がりはなかったと本人はいっている、というものだった。何か証拠があるわけではないし、そんなふうに否定されたらどうしようもない。刑事部長から課長へは、なるべく代議士の名前を出さずに捜査を進めろと指示があったそうだ」

「何ですか、それは。どうしろっていうんです」

「俺たちが担当しているのは長岡修さん殺しだ。これから起きる事件について調べているんじゃない」

「そりゃそうですが、代議士の命が懸かっているんですよ」

間宮は背筋を伸ばし、草薙を見据えてきた。

「古芝伸吾が復讐を企てているとして、それが今回の事件にどう関係していると思う？」

草薙は机の上に並べた写真を見た。

「内海によれば、レールガンで倉庫の壁が壊される映像を撮影する直前、長岡さんは恋人の渡辺清美さんにいっています。若さって恐ろしいな、と。さらに長岡さんはレールガンによって殺人が可能かどうかを湯川に確かめています。つまり長岡さんは古芝伸吾の計画に気づいていたんです。さらに長岡さんは湯川に、自分が必ず阻止すると断言しています」

「ふむ、今の段階なら阻止は難しくない。警察に通報するか、大賀代議士の関係者に知らせればいいだけのことだ」間宮は首を縦に振り始めていた。「古芝伸吾としては、そんなことをされたら大変だ。これまでの苦労が水の泡になる。復讐計画を知られたとわかった時点で、長岡さんを殺す動機が発生する」

「辻褄は合いますね。いろいろと不明な点も多いですが」

「たとえば？」

「長岡さんが古芝の計画に気づいた理由です。古芝自身が打ち明けるわけがないし」

「たしかにそうだな」

「あと、レールガンをいつどこでどうやって使うのかも不明です。動いている人間を撃つのは不可能だという湯川の言葉には説得力があります」

間宮は口元をへの字にして何度か頷いた後、よし、といって立ち上がった。

「そのあたりを踏まえた上で、今いったセンを中心に捜査方針を練り直すことを管理官に提案してみよう」

資料をまとめて、足早に間宮が部屋を出て行く。その後ろ姿を見送りながら、草薙は口の中に苦いものが広がるのを感じていた。

刑事は事件解決のためには、あらゆることを疑わねばならない。だから古芝伸吾が犯人である可能性について上司に話したことは後悔していない。実際、現時点では最も怪しい人間だと思っている。それでもやはり後味の悪さが残るのは、湯川のことが頭にあるからにほかならなかった。

古芝君が殺人事件に関わっている可能性はゼロだという考えに変わりはない——彼の言葉が脳裏に蘇る。

古芝伸吾がどういう人間か、会ったことがないので草薙にはわからない。だがあの湯川があれほどまでにいうのだ。真に誠実な人物なのだろう。そんな人間が殺人などという残酷な犯罪に手を染めるものなのか。

この問いに、草薙は即答できる。答えは、染めることもある、だ。実際、そういう人間を何人も見てきた。彼自身が手錠をかけたこともある。

しかし——と思う。湯川は特別だ。彼の人を見る目を信用してもいいのではないか。

草薙は首を振った。余計なことを考えるなと自分にいい聞かせた。心情によって動いてはならない。事実を積み上げていくのが捜査の基本だ。

ただ、湯川のことはやはり気になった。あの物理学者は、これからどうするだろうか。

内海薫の姿が目に入った。彼女はパソコンに向かっているところだった。

「何を調べている？」近づいていき、声をかけた。

「インターネットの記事です。ホテルの人がいったでしょう？　長岡さんはインターネットの記事で古芝秋穂さんがホテルで亡くなったことを知ったらしいって。でもいくら調べても、そんな記事は見当たらないんです。新聞記事も検索しましたけど、同様です。考えてみれば当然で、事故でも事件でもなく、病死ですからね。プライバシーの問題もあるし、そんな情報がネットに流れるわけがないんです。話を聞いた時からずっと引っ掛かっていました」

内海薫の説明に、草薙は得心がいった。同時に、これについて少しも疑問を抱かなかった自分の迂闊さを密かに恥じた。

「インターネットじゃないとすれば、どうやって知ったのかな」

「あの話はお聞きになりましたか」内海薫が声を落としていった。「大賀代議士と古芝秋穂さんの間に特別な関係があったのではないか、という噂があったことは」

「ついさっき係長から聞いた」

「それを耳にした長岡さんが、古芝秋穂さんについて調べた可能性は高いと思います。昨年の四月に亡くなっていることもすぐにわかるでしょう。でもふつう、その死因が代議士と関係しているとは考えないと思います」

「たしかにそうだ」

「長岡さんがホテルへ聞き込みに行ったのは、秋穂さんの死に代議士が関わっていることを誰かから教えられ、それを確認するためだったのではないでしょうか」

「誰かとは誰だ」

「それは一人しか考えられないと思うんですが」

「古芝伸吾か」

はい、と若き女性刑事は頷く。「違いますか」

草薙は低く唸った。

「復讐を企てている人間が、そう簡単に動機を人に話すとは思えないんだがな。あの倉庫の壁が壊れる映像も、隠し撮りだったそうだし」

「隠し撮り?」内海薫は目を見開いた。「そうなんですか? どうしてわかったんですか」

「おまえもよく知っている人物が、重大な隠し事をしていやがったんだ」

「よく知っている人物って……」

草薙は咳払いを一つし、後輩女性刑事を見下ろした。

「内海巡査長、君に重大な任務を与えたい」

20

グラウンドではサッカーの試合が行われていた。だが公式戦の類いではなさそうだ。それどころか練習試合ですらないようだった。その証拠に、パスを横取りされた選手が苦笑いを浮かべながら走っていたりする。単なるサッカー好きたちの草試合、というのが正解だろう。当然、応援する者もいない。

だが観客が一人だけいた。白衣姿でベンチに腰を下ろし、ぼんやりと眺めている。真剣に見ている様子ではない。漫然とボールを目で追っているだけのように見えた。

薫は横から近づいていき、声をかけた。「サッカーの御経験は?」

湯川が、ちらりと彼女に目を向けた。表情は変わらない。

「高校の体育の授業でやったのが最後だな。ボールを蹴る感触も忘れてしまった」

「統和高校はスポーツが強かったんですか」

物理学者は、ふっと笑った。

「一言でいえば、全然だったな。ただしバドミントン部は弱くなかった」

「湯川先生がいたから？」

「それはどうだろう」

「隣に座ってもいいですか」

「どうぞ御自由に。僕のベンチじゃない」

失礼します、といって薫は座った。木製のベンチは、ひんやりと冷たかった。

「草薙にいわれてやってきたのか」

「そうです。湯川先生の様子を探れといわれました」

湯川は首を傾げ、肩をすくめた。

「おかしなことをいうやつだ。警察が物理学者の動向を探ってどうなる？」

「では湯川先生は何もしないおつもりですか。教え子に殺人犯の疑いがかかっているというのに」

湯川の顔が強張るのがわかった。彼はそのままグラウンドに目を向けた。

「彼は人殺しなんかしない。そんなことはできない」

「だから何もしなくてもいい、ということですか」

湯川は答えない。だがその横顔を見るかぎり、薫の言葉を肯定しているわけではなさそうだった。

「古芝君がクラサカ工機に就職したのは、高校時代に作ったレールガンの威力を上げるためだと考えられています。実際彼は技術習得のためと称し、たった一人で工場に居残り、様々な工作機械を動かしていたということです。時には夜遅くまで。クラサカ工機には、使用不能になった機械などを置いてある古い作業場があるのですが、そこでレールガンの実験をしていた形跡があったそうです」

やはり湯川は黙っている。無視しているのではなく、薫の話を頭の中で咀嚼《そしやく》しているに違いなかった。

「レールガンのことを少し調べてみました。銃刀法違反には問われないそうですね」

「法律で定義されている銃とは」ようやく湯川が口を開いた。「ガス体の膨張を利用したもののことだ。電磁エネルギーだけを使うレールガンは違法じゃない」

「そのようですね。ところで最近起きた怪現象は、レールガンで説明がつきますか」

湯川は少しいい淀《よど》んでから、「つけることはできる」と答えた。「弾丸が見つからなかったそうだが、それは通常の銃器の弾丸を探そうとしたからだろう。別のものを探していたら、もしかしたら見つかったかもしれない」

「別のものというと?」

「レールガンにおける発射体のことをプロジェクタイルという。通常は数グラムの非伝導物質が使われる。電磁エネルギーを直接受けるのはその後ろにセットされる伝導体だが、あまりにエネルギーが大きいため、伝導体はプラズマ化する。そのプラズマに押される形で、プロジェクタイルは秒速数キロの速度で発射される。命中した瞬間に、膨大な運動エネルギーは熱に変換され、プロジェクタイルは消滅する。もしかすると痕跡ぐらいは残るかもしれないが、弾丸を探しているかぎりは見つけられない」湯川の滑らかな口調は、薫がよく知っているいつもの科学者のものになっていた。彼自身、怪現象はレールガンによるものだと確信しているのかもしれない。

薫はショルダーバッグを開け、折り畳まれた一枚の紙を差し出した。

湯川が怪訝そうな目をした。「何だ、これは?」

「今朝早く、古芝伸吾君の部屋が家宅捜索されました。そこで見つかったものです」

湯川は受け取り、紙を開いた。それはB4サイズの図面だった。球形の部品らしきものが描かれている。

ミカンの皮だ、と彼が呟いた。

「ミカン?」

「何でもない。これが今いったプロジェクタイルだ」湯川はいいながら図面を見つめ、何度か首を上下させた。「ガラスと樹脂の組み合わせか。さすがだな。よく考えられている。工夫の跡が見られる」

「図面は、ほかにもたくさんありました。私にはよくわかりませんが、寸法や仕様が微妙に違っているようです。古芝君は大田区にある会社に、それらの製造を発注しています。去年の夏から都合七回も。注文を受けた会社は、まさか発注主が個人だとは思っていなかったそうです」

「プロジェクタイルの材質や形状は、レールガンにとって重要なファクターだ。七回程度の試行錯誤は当然だろうな」湯川は図面を折り畳み、薫に返してきた。

「うまくすれば、すごい威力を発揮するんですね、レールガンって。でも、武器としての実用化は難しいとか」ネットで得た知識に基づいて薫はいった。

「難しいなんてものじゃない。殆ど夢物語だ」湯川は即答した。「古芝君の映像を見たならわかると思うが、装置をセットするには畳一枚分の広さが必要で、総重量は百キロ近くになる。機動性はゼロといっていい。おまけに巨大なコンデンサに充電をするには大電力が必要だ。それだけ大げさなことをして、発射は一回きりだ」

「一回……そういえば映像の中でもそういってましたね」

「一回の発射でレールの表面はずたずたになる。次に発射するには、それをミクロン単位の精度で仕上げ、組み立て直さないといけない。どう考えても武器にはならない」

「でも一人を殺すだけなら一回の発射で十分なんじゃありませんか」

湯川の目がじろりと薫のほうを向いた。

「何としてでも彼を殺人犯にしたいようだな」

「したくないからいってるんです。殺人犯どころか、殺人未遂犯にもしたくありません。彼を思い留まらせてください。それができるのは、先生だけかもしれない」

「僕には何もできない」

「だったら、警察にも何もできないことになります。逮捕はできるかもしれません。でも古芝君を救えない。それでいいんですか」

湯川の目が悲しげに揺れるのを薫は見た。彼は眼鏡を外し、指先で目頭を揉んだ。溜めていた息をふうーっと吐き出し、眼鏡をかけ直した。

「昨年の夏、僕は古芝君に会うため、クラサカ工機に行ってみた。その前に電話で話したんだけど、やはり心配になってね」

「会えたんですか」

うん、と湯川は小さく頷いた。

「少し痩せたように見えたけど、健康状態は悪くなさそうだったので、とりあえず安心はした。金属加工の仕事について、いろいろと話してくれて、それなりに楽しかった。大学のことも話したが、中退したことを後悔している様子はなかった。悲観もしていないようだった」

「特に気になることはなかった、というわけですか」

薫の問いに湯川は即答しなかった。しばらく黙り込んだ後、「何も気にならなかった、といえば嘘になるな」といった。

「何かあったんですか」

「あった、というほどではない。ただ、彼の発した言葉が引っ掛かった。お姉さんのことを話している時だ」

「彼は何と？」

湯川は逡巡の色を覗かせた後、重そうに口を開いた。

「彼はこういった。姉の死は悲しいけれど、悲しみは大きな力に変えることができる。だから科学を発展させた最大の原動力は人の死、すなわち戦争ではなかったのか、と」

「湯川先生は何と？」

「もちろん科学技術には常にそういう側面がある。良いことだけに使われるわけではない。要は扱う人間の心次第。邪悪な人間の手にかかれば禁断の魔術となる。科学者は常にそのことを忘れてはならない——そんなふうにいった」

「古芝君は納得した様子でしたか」

「どうかな。何か考え込んでいるように見えた。だから気になった。しかし追及はしなかった。その時点では、お姉さんの死にそんな事情があるとは知らなかったし、彼が復讐を考えているなんて、露ほども考えていなかったからね」

薫は物理学者の理知的な横顔を見つめた。

「先生も、古芝君が復讐を果たそうとしていることはお認めになるんですね」

湯川は無念そうに唇を噛んだ後、口を開いた。

「一度だけ、古芝君のお姉さんに会ったことがある。レールガンが完成した日、部屋に招かれたんだ。少し話しただけで、素晴らしい女性だとわかった。古芝君にとってお姉さんは、たった一人の肉親であり恩人だった。それだけ大事な人間を見殺しにされたならば、その怒りは尋常なものではないだろう。彼は純粋で真面目な人間だが、だからこそ思い込んだら後戻りがきかなくなるという一面もあった。もし彼が大賀代議士殺しを目論んでいるとすれば、それは復讐したいという願望からではなく、姉のために復讐しなければならないという義務感からだろう。その場合、彼を止めるのは極めて難しい。おそらく、自分はどうなってもいいと思っているに違いないからね」

「止めるんです。何としてでも」薫は言葉に力を込めた。「それが古芝君を救うことになります」

湯川は空を見上げ、ふうっと息を吐いた。それから徐《おもむろ》に薫を見た。「君は、クン付けで呼んでるね」

えっ、と薫は訊いた。

「古芝君、と。古芝、と呼び捨てではなく」

「それは、だって」薫は唇を舐めてから続けた。「まだ容疑者でも何でもないんですから」

「復讐を企むことは罪にならないのか」

「なります。殺人予備罪です。でも証拠がありません。長岡修さん殺害事件にしても」

「草薙は、復讐計画を知られたので古芝君が長岡さんを殺した、とでもいいたそうな口ぶりだった」

「そのセンで捜査が進められているのは事実です」

「ふん、馬鹿馬鹿しい」

「私もそう思います」湯川が意外そうに見たので、薫は続けた。「犯人は被害者の手帳やスマートフォン、タブレットなどを持ち去っています。ところがパソコンのそばに置いてあったメモリーカードはそのままでした。倉庫の壁が破壊された映像は、その中に入っていたんです。もし古芝君が犯人なら、それを見落とすわけがありません」

「君のいう通りだ。それに、もし復讐計画を隠すために殺人を犯したのなら、突然行方をくらましたりはしないはずだ。警察に目をつけられてしまうからね」

「草薙さんも、そのあたりのことは承知しておられると思います。でも捜査においては、すべてを疑う必要があるんです」

「わかっている。彼もまた馬鹿ではない」湯川は前髪をかきあげた。「警察の方針は？さっき君は、古芝君を逮捕はできるかもしれないといったな。どうするつもりだ」

薫は口元を緩めた。「一般人に捜査の内容を話せと？」

物理学者の目と鼻の穴が少し大きくなった。「今さら君に、そんなことをいわれるとは思わなかったな」

「冗談です。現在、都内や周辺の宿泊施設等、古芝君が潜伏していそうなところを捜査員たちが当たっているところです。それで発見できなければ、最終的には待ち伏せ作戦に落ち着く模様です」

「待ち伏せ作戦？」

「スーパー・テクノポリス計画は、来週からまた新たな工事が始まります。そこで今週末、地鎮祭が行われるんです。それに大賀代議士も出席する予定です」

湯川が鋭い眼差しを向けてきた。「それで？」

「レールガンは機動性がないんでしたよね。車に積んで移動するしかなくて、たった一回発射したらおしまい。でも、射程距離は銃よりもはるかに長い。地鎮祭が行われる場所は、周囲に何もないところです。遠くから狙うには、うってつけです。儀式にはそれなりに時間がかかるので、ゆっくりと照準を合わせられるのではないでしょうか」

「つまり地鎮祭の最中に古芝君は大賀代議士を撃ち殺そうとしているんじゃないか、といいたいわけだな」

「馬鹿げた説だと思いますか。物理的に不可能だと」

湯川は薫を睨んでから、いや、と首を振った。「物理的には可能だ」

「古芝君がレールガンを使って大賀代議士を殺害しようとするなら、そのタイミングしかない、というのが特捜本部の結論です。逆にいえば、彼を確保する絶好のチャンスでもあります」

物理学者の目元が不快そうに曇った。愛弟子が逮捕される場面を思い浮かべたのかもしれない。

「彼は」湯川がぽつりといった。「なぜ姿を消したのだろう」

「えっ？」

「さっきもいったが、消息を絶つようなことをしなければ、警察が古芝君に目をつけることはなかった。なぜそんなことをしたんだろう」

「長岡さんのことを調べれば、いずれは自分に繋がると思ったからじゃないですか」

「そうなんだろうな。しかし実際はどうだ。古芝君が失踪したことで彼の身辺が調べられ、お姉さんが大賀代議士の担当だったことがわかったわけだ。古芝君が下手に動かなければ、その接点は未だに発覚しなかったんじゃないか」

「それは……はい、たしかに」

「あの古芝君が、そんなミスをするとは思えない。つまり姿を消したのは、リスクと天秤にかけた末のことだろう。そのリスクとは、長岡さんの身辺を探った警察が、古芝君に辿り着く可能性のことだ。彼はそれをゼロだとは考えなかった。なぜだろう」

「長岡さんに復讐計画を知られていたからじゃないですか」

「その点が不思議でならない。そんな大事なことを話すわけがない。ましてや相手はフリーライターだ。そう考えると……」湯川は拳を額に当てた。「長岡さんが僕のところに来たこと自体も不思議だ。古芝君から聞いたとばかり思っていたが、そうではないのかもしれない」

そういえば、と薫はいった。「草薙さんも同じようなことをおっしゃってました」

「何だって？」

「長岡さんが秋穂さんの死に着目したきっかけです」

薫はインターネット上に古芝秋穂の死についての記事はなく、長岡がホテルへ確認に行った理由が不明であることを話した。

「だから長岡さんは古芝君から聞いたのではないかと私は考えたのですが、復讐を企てている人間が、そう簡単に動機を他人に話すだろうかと草薙さんが……」

「その意見に同感だ。古芝君が話すわけがない。ということは――」何かに気づいたように湯川は、ぴんと背中を反らせた。「もう一人いる」

「もう一人？」

「古芝君によるレールガンでの復讐計画、古芝秋穂さんの死の謎、この二つについて知っている人間が、古芝君以外にもう一人いるんだ。そしてその人物が、長岡さんに情報をリークした。それしか考えられない」

「その人物って……」

「古芝君はクラサカ工機で密かにレールガンの実験をしていたといったね。時には夜遅くまで、と」

「はい。それが何か？」

「誰にも気づかれずにそんなことを続けるには、協力者が必要だったはずだ」湯川は腕時計に目を落とすと、ベンチから立ち上がった。「ちょうどいい時刻かもしれない。一緒に来てくれ」

21

着信音を聞き、急いでスマートフォンを取り出した。しかし表示されているのは、学校の友人の名前だった。とりあえず電話には出る。ちょっとした問い合わせに答え、ついでに雑談を少々。ノリが悪いと思われないように気をつけながら話し、じゃあまた明日ね、と明るい声で締めくくった。

吐息を漏らし、由里奈はスマートフォンを見る。

また連絡するっていったくせに——。

古芝伸吾から最後に連絡があったのは、彼が姿を消して十日ほど経ってからのことだった。公衆電話からかかってきた。何か変わったことがあったか、と尋ねてきた。

「会社に刑事さんが来た。あたしもファミレスに連れていかれて、伸吾君のことを話してくれっていわれた」

「それで、どうしたの？」

「何も知らないって答えた。それだけ」

「そうか。ありがとう」

伸吾の重たい口調は、すぐに電話を切ってしまいそうな雰囲気だった。由里奈はあわてて、「ねえ、やっぱりやるの？」と訊いた。

少し間があり、やるよ、と彼は答えた。「そのために生きているようなものだから」

その言葉に、どきりとした。

「生きているって……終わったら死ぬ気なの？　そんなことないよね。自首するって、前はいってたじゃない」

「……わからない」

「やだよ、そんなの。そんなこといわないで」

「また連絡する」そういって彼は電話を切った。

あの時の会話を思い出すたびに胸が痛くなる。彼はどうなってしまうのだろう。

重い足取りで帰路を歩いた。クラサカ工機の前を通り過ぎた時、前方にいる人影に気づいた。二人いる。男性と女性だ。眼鏡をかけた男性の顔には見覚えがあったが、どこで会ったのか思い出せなかった。パンツスーツの若い女性のほうは、たぶん会ったことがない。

彼等は由里奈を待っていたらしく、小さく会釈してきた。由里奈は立ち止まった。

二人が近づいてきた。女性のほうが微笑みながらバッグから何かを出した。「倉坂由里奈さんですね」

それが警察のバッジだとわかった瞬間、緊張感が押し寄せてきた。全身に力が入った。

はい、と答えるのが精一杯だった。

「今、少しいいですか。訊きたいことがあるんだけど」

「……どんなことですか」

「いろいろだけど、一言でいうと古芝君について、かな」

由里奈は俯き、かぶりを振った。「あたし、何も知りません」

「そうかな」男性の声がいった。「そうじゃないと思うんだがな」

由里奈は顔を上げた。男性と目が合った。お久しぶり、と彼は笑顔でいった。

思い出した。昨年の夏、伸吾に会いにきた人物だ。

湯川先生だ――。

なぜすぐに思い出さなかったのか、自分でも不思議だった。あんなに何度も伸吾から、尊敬する湯川先生の話を聞かされたのに。

「古芝君について、君しか知らないことがあるはずだ」湯川先生はいった。「もし彼に過ちを犯させたくないなら、知っていることを話してほしい。古芝君を救えるのは君だけだ。そうだろ？」

由里奈は息を呑んだ。この人たちは、すべてを見抜いているのだろうか。

「長岡修さんを知っているね？　彼に古芝君の計画を話したのは君だね」

やはりそうだ。もはや、何もかもばれている。

由里奈さん、と女性刑事が優しい口調でいった。

「すでに警察は古芝君を追ってる。彼がどこで犯行に及ぼうとしているかも大体は見当がついてる。だから彼の計画は必ず失敗する。でも今のままだと犯罪者になってしまう。そうさせないためには、彼自身に計画を放棄させなきゃいけない。あなたの知っていることをすべて話してちょうだい。彼を思い留まらせられるかもしれない。それとも彼を犯罪者にしたいの？　牢屋に入れたいの？」

由里奈は首を振った。そんなことは望まなかったから、長岡に打ち明けたのだ。こみ上げてくるものがあった。涙が溢れ出すのを堪えられなかった。

よし、と湯川が頷いた。「どこか、暖かいところへ行こう」

そばに駐めてあった車に乗せられた。後部座席に座ると、由里奈はハンカチを出した。


すべての始まりは、あの夜だった。

伸吾が夜遅くまで金属加工の練習をしていると知り、差し入れを持っていった。ところがいつもの工場に彼の姿はなく、めったに使われなくなっている作業場から明かりが漏れていた。

覗くと伸吾の姿があった。見たこともない装置の前で、何やら作業を行っていた。

何だろうと思った瞬間、それが起きた。

衝撃音が轟《とどろ》き、閃光が走った。驚きのあまり、持っていたコンビニの袋を落とした。

物音に気づいた伸吾が振り返った。由里奈は逃げようとした。だが足がすくんで動けない。ようやくコンビニの袋を拾い上げた時、扉が開けられた。

そこに彼女がいたことに、伸吾も驚いた様子だった。ほんの何秒間か、二人は見つめ合った。

「あの……あの、あたし」由里奈はコンビニの袋を差し出した。「これ、差し入れ……」

その手を伸吾に掴まれた。彼は彼女を作業場内に引き入れると、周囲を見回してから扉を閉めた。その後、じっと足元に視線を落としていた。

「伸吾……クン」由里奈は呼びかけた。この頃には名前で呼ぶようになっていたのだ。

「お願いがある」伸吾は彼女に目を向けた。「今ここで見たことは、誰にもいわないでほしい。社長にも、社員にも、御家族にも、友達にも」

由里奈は懸命に呼吸を整えた。「ここで何をしてるの？」

「それは……いえない」彼は目をそらした。

「どうして？」

「君は知らなくてもいいことだ」

「知ってもいいでしょ。話して」由里奈は伸吾の前に立った。「この機械は何？　どうしてこんなものを作ってるの？」

「……実験だ」

「実験？　何の実験？　どうして人に話しちゃいけないの？」

由里奈の質問に、伸吾は苦しげな色を見せた。その瞬間、確信した。彼にはとてつもない秘密がある。彼ほどの優秀な人間がこんな町工場に来たのは、その秘密のせいなのだ。

話して、と彼女はいった。「あたしにだけ話して」

「聞かないほうがいい」

「どうして？」

「どうしてもだ。もし君が人に話すというのなら、俺はここを出ていくしかない」

由里奈は混乱した。彼に去られるのは嫌だ。

わかった、と答えた。「誰にもいわない。でも、いつかは話してくれるよね」

伸吾は眉間《みけん》に皺を寄せて考え込んだ後、うん、と小さく頷いた。

「時々見に来てもいい？」

「家の人に見つかったらまずいよ」

「大丈夫。窓から抜け出せば気づかれないから。今日だって、そうしてきたんだから」

そういって改めてコンビニの袋を差し出した。

伸吾は薄く笑いながら袋を受け取った。

その後、何度か彼の「実験」に立ち会った。わかったのは、恐ろしく手間と時間がかかるということだった。彼は複雑な装置をばらばらにして自分の車に隠していたが、それらを組み立てるだけでも一時間以上を要した。しかもいくつかの部品には精密な手入れが必要で、金属部分の研磨に数時間をかけることさえあった。おまけに「実験」は、一晩でたった一度しかできない。失敗したら、その日はそれでおしまいだ。

装置の名前を教えてくれたのは十二月に入ってからだ。レールガンというらしい。由里奈は得心した。長い金属製のレールから弾丸のようなものが発射される様子は、その名前に相応《ふさわ》しかった。

「初めて作ったのは高校生の時だ。ある人から教わって作った。由里奈ちゃんも会ったことがある人だ」レールガンを前に、コンビニのおにぎりを食べながら伸吾はいった。

「もしかして、夏に来た人？」

「そうそう」

湯川という名前を教えてくれた。帝都大学の准教授らしい。湯川先生がいかに素晴らしい研究者であるかを、伸吾は熱い口調で語った。その時だけは表情が輝いて見えた。

さらに伸吾は、じつは自分も今春に帝都大学に入ったのだと打ち明けてくれた。しかし姉の死があったので中退したのだという。

「どうしてもやめなきゃいけなかったの？　何とかならなかったの？」

由里奈が訊くと、伸吾の表情が途端に暗くなった。ただ一言、あのまま大学に通うわけにはいかなかったんだ、と呟いた。

由里奈は、ずっと気になっていたことを口に出さずにはいられなかった。レールガンを見つめ、彼女は訊いた。「これ、何に使うの？」

伸吾は無言で下を向いた。

「もしかして……誰かを撃つの？」

仲吾は返事をしなかった。だが答えたも同然だった。

「そうなんだね？」彼女は、もう一度訊いた。

仲吾の身体からふっと力が抜けるのがわかった。告白してもらえる、そう確信した。

そうだ、と彼は答えた。「仇《かたき》を討つんだ」

「仇？」

「姉貴の仇だ」

「お姉さんって、病気で亡くなったんじゃなかったの？」

仲吾は首を振った。「殺されたんだ。殺されたも同然だ」

彼は姉の古芝秋穂が死んだ時の状況を詳しく話してくれた。

「警察の遺体安置室で姉貴を見た時のことは、たぶん一生忘れられないと思う。顔は白いというよりも灰色に近かった。目は落ち窪んで、頬はこけてた。元気に走り回っていた面影なんてすっかり消えてた。人間の顔が、たった一晩でこんなに変わってしまうものかと思った」

仲吾によれば、警察に呼ばれた時には、秋穂は何らかの事件に巻き込まれて死んだのだろうと思い込んでいたらしい。だがその後、刑事から聞かされた話は、彼の想像外のものだった。

「子宮外妊娠による卵管破裂、そのために大量出血し、ショック死したとみられる——何だよ、それって思った。一体誰の話をしてるんだ？　妊娠？　姉貴が？　わけがわかんなかった。だって俺、姉貴に交際している男がいることさえ知らなかったから。しかも発見された場所がおかしい。ホテルだぜ。六本木のホテル。しかもスイート。そんなところに、なんで一人で泊まるんだよ。そんなこと、あるわけないだろ」怒気を含ませた声で彼はいった。

「お姉さん、一人で亡くなってたの？」

だとしたらおかしい、と由里奈も思った。

「あり得ないよ。絶対、連れがいたはずなんだ。男と一緒だったはずだ。そいつは誰だよ。姉貴が倒れた時、一体何をしてたんだ。で、どこへ消えちまったんだ」

「でもそういうことなら、警察だって調べるんじゃないの」

「調べるとはいったよ。一緒にいたはずの男を捜すつもりだってね。瀕死の人間を見捨てて逃げたのだとしたら、保護責任者遺棄致死罪に該当するからって。それを聞いて、期待した。警察なら男を見つけだしてくれるだろうと思った。だけど間もなく担当の刑事が、姉貴の所持品とかを返しにやってきた。事件性はないってことで、捜査はされなくなったんだってさ」

「そんな……」

「仮に男を見つけられたとしても、姉貴が倒れる前に部屋を出たんだと主張されたらそれまでだから、結局捜査をする意味がないってことだった。刑事は申し訳なさそうにしてた。でも、そんなので納得できるわけないだろ？　こうなったら自分の力で相手の男を見つけだしてやろうと思った。それでまず、ホテルに行ってみたんだ。姉貴が死んでたホテルに。そうしたらホテルの人は親切で、姉貴が死んでるのを最初に見つけた人に会わせてくれたんだ。ベルボーイといって、客の荷物を運んだり、部屋まで案内したりする人。おかげでいくつかわかったことがあった」伸吾は人差し指を立てた。「一つ目は、テーブルの上にビール瓶と二つのグラスがあったこと。どちらのグラスにもビールが残ってたって」

「グラスが二つってことは、やっぱりもう一人いたってことだね」

伸吾は頷き、指を二本立てた。

「わかったことの二つ目は、姉貴が服を着ていたこと。きちんとストッキングも穿いていたそうだ。三つ目もそのことに関連しているんだけど、部屋は殆ど使われていなかったらしい。タオルもすべて未使用だった。ベッドもベッドカバーが付いたままだった」

「それは、ええと……」

「まだセックスしてなかったってことだよっ」伸吾は直截な言い方をした。「あり得ないだろ、そんなこと。男と女がホテルで会うのは、それが目的じゃないのか。ビールだけ飲んでおしまいなんてこと、あるわけないだろ。男は姉貴の体調がおかしくなったのを見て、部屋から逃げ出した。それしか考えられない。ベルボーイの人から聞いたんだ。ものすごい量の出血だったって。男はそれを見たのに、救急車も呼ばずに逃げたんだ。そんなの、人間のすることじゃない」抑えていたものを吐き出すようにいい放った後、その残響の中でため息をついた。

彼は指を四本立てた。

「そして四つ目、これが一番重要なことだ。部屋番号は1820だった」

「部屋番号がどうして重要なの？」

すると伸吾は傍らに置いてあった彼のバッグの中から、スマートフォンを出してきた。しかしそれは彼がいつも使っているものではなかった。

「これは姉貴のものだ」そういって慣れた手つきで操作した後、液晶画面を由里奈のほうに向けた。そこには発信メールが表示されていた。日付は昨年の四月で、時刻は夜の十一時過ぎ。タイトルは『1820です』というもので、本文はなかった。

「それって……」

「姉貴は先にチェックインして、相手の男に部屋番号を知らせたんだ。男は後から部屋に行くというわけだ。つまり、このメールアドレスの人物が、問題の男ということになる」

「名前はわかったの?」

　伸吾は首を振った。

「このスマートフォンには、アルファベットの『J』として登録されているだけだ。本名はわからない。でも、やりとりしたメールがいくつか残っていたので、ヒントはあった。まず姉貴は、相手の男のことを先生と呼んでいる。しばしば一緒に旅行したようだけど、二人きりという感じじゃない。そして光原町に縁の深い人物だ」

「光原町?」

「メールの中に、よく出てくるんだ。光原町にはいつ行かれますかとか、光原町はいかがでしたか、といった文章が。姉貴の仕事について、それほど詳しく知っているわけじゃないけど、これだけ材料が揃えば『J』の正体は察しがつく」

　衆議院議員の大賀仁策だ、と伸吾はいった。政治に疎《うと》い由里奈が首を傾げると、彼はいろいろと教えてくれた。元の文部科学大臣だということや、最近ではスーパー・テクノポリス計画を主導していることなどだ。そして彼の姉は、大賀の担当記者だったらしい。

「信じられなかったよ。というより、信じたくなかった。どうしてあんな、いかにも腹黒そうなジジイなんかとそんな仲になるんだ。おまけに不倫。どういうことだよ。生まれて初めて、姉貴のことを馬鹿だと思った」吐き捨てるようにいった後、伸吾はバッグから夕ブレットを出してきた。「どうしても何かの間違いだと思いたくてさ、悩んだ末、確かめることにしたんだ」

「どうやって？」

「姉貴のスマートフォンには『J』の携帯番号も登録されていた。そこにかけてみたらどうかなと思ってね」

大胆な発想に、由里奈は息を呑んだ。「かけたの？」

うん、と頷き、伸吾はタブレットを操作した。するとすぐに音声が聞こえてきた。まずは呼び出し音だ。

「もしかすると電話が解約されているかもしれないと思ったけど、無事に繋がった。待っている時は、どきどきしたよ」ほんの少し表情を和《なご》ませていった後、伸吾は口元を引き締めた。

呼び出し音が止まった。直後に、「はい、どなた？」威圧感のある太い声がいった。

次に聞こえた伸吾の言葉は、由里奈の意表をつくものだった。

「こちら、警視庁の者です」

由里奈は驚いて、何かいおうとした。だが伸吾は、静かに、とばかりに人差し指を唇に当てた。

「警視庁？　私に何の用かな」相手の男がいった。落ち着いた口調は変わらない。警察と聞いても、全く狼狽していない様子だった。

「じつはお尋ねしたいことがあるのです。古芝秋穂さんを御存じですね。この番号は、あの方のスマートフォンに残っていたのですが——」むしろ伸吾の声のほうが上擦《うわず》っている。

おいっ、と相手の男が発した。「貴様、誰だ」

「ですから、警視庁の」

「名前をいえといってるんだ。どこの警察署だ」

「麻布警察署です……」

「麻布？　部署はどこだ？　おまえの名前は？」

すみません、と伸吾がいった後、音声は終了した。電話を切ったのだろう。

伸吾は悔しそうな顔で唇を嚙んだ。

「情けないよな。警察だといえば、相手が少しはびびるかと思ったんだけど、そんなことは全然なかった。逆にこっちが萎縮しちゃってさ。聞くたびに嫌になる」

「今の電話、お姉さんのスマートフォンからかけたの？」

「俺のを使った。姉貴のからじゃ、警戒されると思ったからさ。電話をかけたのが俺だと突き止められても構わないと思ったし。でも、向こうからは何のリアクションもなかった。たぶん単なる悪戯だと思われたんだろうな。それはともかく——」伸吾が由里奈のほうを向いた。「今の男の声、聞いたことない？　政治に興味がないんじゃ、無理かな」

「聞いたことがあるような気もするんだけど……」嘘だった。誰なのか、さっぱりわからない。

「大賀仁策だよ、間違いない。知っている人間なら、誰でもわかる。このだみ声、少し訛った口調、あの男そのものだ。これでもう決定的。姉貴の相手は、あのいかがわしい政治家だった」伸吾は両手で頭を掻きむしり始めた。「姉貴の生き方にとやかくいう気はないよ。妻子持ちを好きになったって構わない。どこがよかったのかはわからないけど、たぶん姉貴にだけ見える何か良い点が大賀にはあったんだろうさ。でも、こんなことが許されていいのか。あの政治家にとっては、単なる浮気相手だったかもしれない。浮気が世間に知れたら、イメージダウンだろう。だけどそれなら、最初から浮気なんかしなきゃいいじゃないか。姉貴はきっと本気だった。遊びでそんなことをする人間じゃない。そうしてきっと、相手も本気だと信じてたと思う。自分が突然出血多量で重体に陥った時、まさか逃げるだろうとは夢にも思わなかったはずなんだ」

伸吾の目からは、ぼろぼろと涙がこぼれ落ちていた。それを見ていると由里奈も泣けてきた。彼の辛く苦しい心情が、痛いほどに伝わってきた。

ティッシュで鼻をかんだ後、「もう一つ、思い当たったことがあるんだ」と伸吾がやけに冷静な口調になっていった。

なに、と由里奈は訊いた。

「奨学金のことだ。姉貴のおかげで、とても条件が厳しいはずの奨学金を受けられるようになっていたんだ。その時、姉貴がいった言葉を思い出した。こういったんだ。大臣クラスから手を回してもらうから絶対に大丈夫だってね」

「大臣……」

「大賀のことだったんだろうな」伸吾は頭を振り、お手上げのポーズを取った。「目眩がしたよ。何てことだ。俺が大学生活を送れているのは、姉貴を死なせた男のおかげらしい。俺は、あの男に感謝しなきゃいけないのか」

「それで大学をやめたの?」

うん、と伸吾は頷いた。

「自分が何をすべきかを考えた。何もしないという選択肢はなかった。姉貴は俺にとって恩人だ。この世で一番大切な人だった。そんな姉貴を見殺しにされて何もしないなんて、自分を許せなかった」

辿り着いた答えは復讐だったと彼はいい、レールガンに視線を向けた。

「俺だって、本当はこんな面倒なことはしたくない。簡単に近づける相手なら、ナイフを握って突っ込んでいく。だけどそんなことはできないから、こいつを使うしかないんだ」

「……だからうちに就職したの？」

由里奈の問いかけに、伸吾は気まずそうに黙り込んだ。しばらくしてから、うん、と答えた。「復讐するには、レールガンをより精巧なものにする必要があったから」

「そうだったんだ……」

「ごめん」

由里奈は頬を緩めて彼を見た。「どうして謝るの？」

伸吾は黙ったままで首を傾げた。なぜ謝ったのか、自分でもよくわからなかったのかもしれない。

「うちでよかった？」由里奈は訊いた。

「えっ？」

「クラサカ工機でよかったの？　ほかの工場のほうが、もっといいレールガンにできたんじゃないの？」

するとようやく伸吾も表情を和ませた。「こんなにいい工場はないよ」

「ほんと？　そういってもらえると嬉しいけど」

「いいものができた。ここで働けてラッキーだった」そういってレールガンを見てから伸吾は振り返った。「警察に通報する？」

由里奈は、かぶりを振った。「そんなこと、するわけないでしょ」

「なぜ?」

「なぜって……伸吾君に捕まってほしくないもん」

すると彼は沈んだ笑みを浮かべた。「目的を果たしたら、俺は自首するよ」

「……それでも、警察には知らせない。そのほうがいいでしょ」

伸吾は目を伏せ、ごめん、と呟いた。

由里奈は思わず彼に抱きついていた。「だから、どうして謝るの? 謝らなくていいよ」

彼の腕が彼女の身体に巻き付いてきた。

年が明けると、伸吾は本格的な発射実験に取り組み始めた。屋外で試射し、その威力や照準性能を確認するのだ。無論、それは簡単なことではない。人に見られない時間帯、つまり深夜に行う必要があった。

達夫たちが寝静まった後、由里奈は工場の鍵を手に、家を抜け出した。伸吾は車の中で待っていた。鍵を受け取ると、彼は工場内でレールガンを組み立て、フォークリフトでワンボックス・バンの荷台に載せた。それから二人で深夜のドライブだ。実験場所は昼間のうちに伸吾が決めていた。条件がいくつかある。標的まで十分に長い距離を取れること、人目につかないことなどだ。

最初の夜は、茨城まで足を延ばした。周囲を田んぼに囲まれた空き地で、星空が美しかった。

実験の準備はすべて伸吾が一人で行った。由里奈は、危険だから決して手を触れないようにといわれていた。といっても大体のセッティングは工場で終えてある。発電機を使い、コンデンサに充電するのが主な作業だ。発電機が小型なので何十分も待つ必要があったが、その時間が由里奈には楽しかった。伸吾とゆっくり話ができるからだ。彼は能弁ではなかったが、物知りで、いろいろなことを教えてくれた。特に科学について語る時には口調が熱くなった。その時だけは復讐のことを忘れているように見えた。

充電が終わると彼の顔に険しさが戻った。

その時の標的は数百メートル先の看板だった。薬の名前がカタカナで書いてある。そのうちの一文字を狙うのだと彼はいった。

周囲に人目がないことを確認してから、彼は無造作にスイッチを入れた。レールガンは工場内での実験時と同じように強烈な火花と轟音を放った。光の筋は目で追うにはあまりに速く、どこに命中したのかまるでわからなかった。

伸吾は後片付けをすると、車を発進させた。どこに当たったのか確認しなくていいのかと訊くと、「明日の昼間、見に来るよ」という答えが返ってきた。翌日は工場が休みだったのだ。

次の週に顔を合わせると、伸吾は苦笑を浮かべた。

「参ったよ。五メートルも左に外れてた」

「威力は？」

「それはばっちり」彼は親指を立てた。

その後も何度か発射実験を行った。伸吾が修正を加えるたびに、レールガンの命中精度は上がっていった。同じ場所で繰り返すのは危険なので、実験のたびに場所を変更した。

「本番でも、こんなに遠いところから狙うの？」

「そうだ。何しろ、簡単には近づけない相手だからね」

「でも向こうが建物の中とかにいたら狙えないんじゃないの？」

「それはそうだ。だから屋外にいる時を狙う」

「そんな時ってあるの？」

「ある。だだっ広い中で、あいつが一人で立っているという状況がね。ホームページの情報によれば、だけど」

「ホームページ？」

うん、と頷いてから、「由里奈ちゃんは、そんなこと考えなくていいよ」と笑った。

時にはアクシデントもあった。その日は、いつもよりも早い時間に準備を始めた。隅田川に面した空き地にいた。深夜になってから発射実験をするつもりだったのに、伸吾が誤って、全く予期しない時に発射してしまったのだ。まだ夜の十一時にもなっていなかった。

間の悪いことに、標的の手前を屋形船が通りかかっていた。レールガンの性能から考えて、打ち出されたプロジェクタイルが命中したのは間違いなかった。

その時にはさすがの伸吾も焦ったようだ。現場から逃走する車の中で、怪我人が出なかっただろうかとしきりに心配していた。

心配になったのは由里奈も同じだった。だが被害者が出ることを心配したのではない。レールガンは人殺しの道具だということを改めて思い知ったのだ。それを使う伸吾は殺人犯になる。

やめてほしい、と初めて思った。こんなことはもう終わりにしてほしい。復讐のことなんか忘れて、ふつうの生活を送ってほしい。

しかしそれを口には出せなかった。そんなことをしたら、もう一緒にはいられなくなると思ったからだ。とはいえ、彼を殺人犯にしたくないという気持ちは強まる一方だ。

道端で長岡修から声をかけられたのは、そんなふうに悩んでいる時だった。知らない顔だったので無視しようと思ったが、次の一言で足を止めた。

「あんな深夜に、古芝君と二人で何をしてるの？」

絶句した彼女に、長岡は笑顔で名刺を出してきた。そして、ごめんなさい、と謝った。

「わけがあって、古芝君のことを見張ってたんだ。仕事を終えて工場から出てきたと思ったら、食事を済ませ、しばらくしてまた工場に戻った。すると今度は君が現れ、二人でどこかへ出かけていった。変だと思うのが当然でしょ？」

由里奈は相手を上目遣いに見た。「わけって何ですか」

長岡は真顔になり、「ある大物政治家のスキャンダルを追ってる」といった。「そこに古芝君のお姉さんが関係している可能性が出てきたんだ」

政治家と聞き、由里奈は反応してしまった。「大賀仁策って人ですか」

長岡は目を剝いた。「何か知ってるんだね？」

「あ、いえ……」しまったと思った。余計なことを口走ってしまった。

「知ってるなら、教えてほしい。大丈夫、悪いようにはしないから」さらに長岡は付け加えた。「君たちが夜中にしていることについても、口外しないでおこう」

ぎくりとした。伸吾の実験については、何としてでも秘密にしなければならない。

彼女が黙っていると、「どこかゆっくりと話せるところへいこう」と彼はいった。

喫茶店で向き合うと、長岡は自分のことを話し始めた。大賀仁策が関わる公共事業に疑念を持っていること、様々な不正を告発しようと思っていること、その手始めとして大賀の女性スキャンダルを暴くつもりであることなどだ。

「大賀仁策の不倫相手が古芝君の亡くなったお姉さんだったということを、君は知っているようだね？　古芝君から聞いたの？」

長岡から問われ、由里奈は首を縦に動かしていた。

「どんなふうに聞いてる？」

「詳しいことは何も……。だってあたし、政治のことなんて何も知らないから」俯いたまま、ぼそぼそと答えた。

「そうなのか。じつは一か月ほど前、古芝君に直接当たってみたんだ。お姉さんと大賀代議士のことについて何か知らないかと訊いてみた。何も知らない、と彼は答えた。そして、その件について下手に嗅ぎ回らないでくれといったよ。すごい目でこっちを睨みつけてね。それを見た瞬間、彼は何かを隠していると確信した。だけど聞き出すのはたぶん無理だとも思った。それでほかをいろいろと当たってみたわけだけど、やっぱり何も摑めなくてね、またここへ戻ってきた。でも古芝君にどうアプローチしていいかわからず、とりあえず仕事が終わるまで待ってみようと工場の外で様子を見ていたら、君たちの不可解な行動を目撃したというわけだ。気になったので、何日か観察してみた。毎日ではないようだけど、頻繁に二人で出かけているね」長岡は身を乗り出してきた。「あんな真夜中に君たちは何をやってるんだ？」

「それは、あの、関係ないです」

「関係ないって、何と？」

「だからその、古芝君のお姉さんが亡くなったことです」

「はあ？　何、それ？」長岡は眉間に皺を寄せた。「亡くなったこと？　俺、そんな話、してないよ。どうしてここにお姉さんが死んだ話が出てくるわけ？」

また失敗した、と由里奈は思った。ここにいたら、余計なことをべらべらしゃべってしまいそうだ。失礼します、と立ち上がろうとした。

「君が話してくれないなら、古芝君に訊くしかない」長岡がいった。「あるいは、クラサカ工機の社長にいってみようかな。古芝君とおたくのお嬢さんが、夜な夜な何かやってますよ、と」

由里奈は浮かせた尻を椅子に戻した。「そんなの、ずるい」

「君が話してくれれば済むことだ」

「だってそんな……単なる興味本位の人なんかに」

「興味本位？　聞き捨てならないな」長岡の目つきが険しくなった。「俺はね、単なるゴシップを追っかけてるわけじゃない。大賀仁策という政治家の裏の顔を突き止めるために動いてるんだ。化けの皮を剝がしたいんだよ。どうか力を貸してくれないか」

彼の言葉は嘘やでまかせのようには聞こえなかった。伸吾が憎んでいる大賀仁策を敵視しているらしいと知り、ほんの少し警戒心が緩んだ。

「化けの皮を剝がしたら、大賀っていう人はどうなるんですか」

「それは君の話による。大した話でないなら、そんなにはダメージは受けないだろう。でも俺の勘だと、そうじゃない。君は大変なことを知っている。そうだろ？　古芝君のお姉さんの死に関わること――もしかすると大賀を破滅させられるぐらいのことを知っているんじゃないのか。それを隠すのはなぜだ。君は大賀の味方なのか」

「違いますっ」反射的に答えていた。「あんなやつの味方なんかじゃない」

「だったら教えてくれ。ペンは剣よりも強しって言葉があるだろ。悪事は誰かが暴かなきゃいけないんだ」

思い返せば、長岡は話術が巧みだったのだろう。話しているうちに、由里奈の気持ちは揺れ始めていた。

もしかしたらこれはチャンスなのかもしれないと思った。伸吾を思い留まらせることができるかもしれない。大賀仁策の悪事が公表されれば、伸吾の怒りも幾分かは治まるのではないか。それにもし大賀が逮捕されたなら、殺すチャンスもなくなるはずだ。

「いつ、記事にしてくれますか」

長岡の表情が、ふっと緩んだ。懐柔した手応えを摑んだからかもしれない。

「それもまた内容による」

「すぐにしてくれないと困るんです。あまり時間がないから」

「どういうこと？　なぜタイムリミットがあるんだ」

由里奈は口をつぐんだ。この男性に、どこまで話しても大丈夫だろうか。

「こっちも仕事だからね、いい加減な情報で記事にするわけにはいかない。しっかりとした証拠がないと書けないんだ」

「証拠ならあります。伸吾君が持っています」

長岡が、じっと由里奈の目を見つめてきた。その強い視線を彼女は唇を噛んで受け止めた。

「その言葉を信用しよう。約束するよ。証拠があるなら、可能なかぎり早く記事にする。話してくれるね」

由里奈が頷くと、長岡はデイパックから細長い機器を出してきた。

「一応、録音させてもらってもいいかな」

ボイスレコーダーらしい。自分の声が残ると思うと緊張したが、記事にしてもらうためには断れない。いいです、と答えた。

長岡はボイスレコーダーのスイッチを入れると、上着のポケットから太いボールペンと手帳を出した。そして促すように、いいよ、といった。

深呼吸をしてから、由里奈は開口した。

「伸吾君のお姉さんは、大賀という人に殺されたも同然なんです」

大きく目を見開いた長岡に、由里奈は伸吾から聞いた話を語った。伸吾ほど順序立てて話すことはできなかったが、記憶を頼りに、細かいことも詳しく述べた。長岡は時折質問を挟んだりメモを取ったりしながら聞いていた。その目には獲物を見事に捕獲した者の高揚感が漂っていた。

「すごいネタだ」自分が書いたメモを見ながら長岡はいった。「やはり大賀は人間のクズだな。これはすぐにでも公表すべきだ。問題は証拠だけど、そのお姉さんのメールと大賀の電話での声、何とかならないかな」

「できると思います。いつ記事になりますか。急いでほしいんですけど」

「さっきも同じようなことをいったね。なぜ時間がないんだ」

由里奈は深呼吸をした。もはやこの長岡という人物を信用するしかないと腹を決め、伸吾の復讐計画について打ち明けた。

この話にも長岡は衝撃を受けたようだ。

「彼がそんなことを……。まあ、気持ちはよくわかる。そのレールガンというものを見せてもらうわけにはいかないだろうか。もちろん古芝君には内緒で」

由里奈は次の発射実験のことを話した。二日後に行うことになっていた。標的も決まっていた。東京湾の埋め立て地にある倉庫の壁だ。

そして実験をした翌日、同じ喫茶店で二人は会った。由里奈はＵＳＢメモリーをテーブルに置いた。その中には伸吾のタブレットからこっそりコピーした、大賀との電話の録音データと、古芝秋穂のメールを撮影した画像が入っている。

「たしかに預かった」そういって長岡はメモリーをしまった。「昨夜の実験、見せてもらったよ」

「どう思います？」

「うん……すごいね」長岡の感想は短かった。それ以外の言葉は浮かばない、というふうに聞き取れた。

前日の夜の発射実験は見事に成功した。標的だった倉庫の壁を、一キロ以上離れた対岸の堤防から狙い撃ちしたのだ。長岡は倉庫のそばに立ち、壁が射抜かれる場面を撮影したという。

「あんなもので撃たれたら、ひとたまりもないだろうね」

「やめさせたいんです。どうしても」

由里奈の言葉を受け止める長岡の眼差しは真摯《しんし》だった。

「レールガンについて、もっと詳しく知りたいな。古芝君を指導した人がいるといったね。どこの誰かわからないかな」

「わかります。帝都大学の湯川という人です。でもその人には、このことは秘密にしておきたいんですけど」

「もちろんわかっている。あとは俺に任せてくれればいい」

よろしくお願いします、と由里奈は頭を下げた。彼だけが頼りだった。

ところが思いがけないことが起きた。その長岡が殺されたのだ。由里奈は恐ろしくなった。彼に渡した例の証拠が関係しているように思えてならなかった。

相談できる人間は一人しかいない。叱責されることを承知で伸吾に打ち明けた。「伸吾君を殺人犯にはしたくなかった」という理由もいい添えた。

彼は怒らなかった。むしろ、苦しめて悪かった、君がそんなふうに悩んでいたことに気づかなかった、と詫びてくれた。

「長岡さんは、まず俺から姉貴のことを聞き出そうとしたんだ。だけど俺が何も答えなかったものだから、由里奈ちゃんに目をつけたんだろうな。尾行されていたとは知らなかった。迂闊だったよ」

さらに、このままではまずいな、といった。

「警察はいずれ俺に目をつけるかもしれない。行動を監視されるようなことになったら、計画は水の泡だ。何とかしなくちゃいけない」

「どうするの？」

彼は少し考えてから、姿を消すしかない、といった。

「今夜、最後の発射実験をする。朝までにレールガンを整備し直したら、どこかに身を隠すよ。とりあえず会社には病欠ってことにしておいてさ」

「行く当てはあるの？」

「何とかなるさ。俺、結構金は持ってるんだ。姉貴が生命保険に入っててくれたから」

由里奈は最も気にかかっていることを訊いた。「もう、会えないの？」

「さあ」伸吾は首を傾げた。「わからない」

その夜に行った最後の発射実験は失敗に終わった。いや、性能確認という意味では成功だったのだが、決して人目につかないこと、という大前提を守れなかった。川を挟んで対岸の堤防に置いた段ボール箱を狙うつもりだったのだが、周辺の照明があまりに暗く、実際に発射を行う頃には殆ど何も見えなくなっていた。それでもそこは立ち入り禁止の区域内で、誰もいないだろうと思って発射したところ、突然炎が上がったのだ。何が起きたのか、あまりに距離がありすぎてわからなかった。じつはそこにバイクが止めてあり、それに命中したのだということを、翌日の夕刊で知った。誰かに傷を負わせたわけではなさそうなので、由里奈は安堵した。だがその気持ちを伸吾と共有することはできなかった。その朝から彼は会社を休んでいたからだ。

最後の発射実験を終えて工場に帰った時、伸吾は初めてキスをしてくれた。

「いろいろとありがとう」由里奈の目を見つめて彼はいった。

「絶対に、また会えるよね」

「うん、会えるといいな」

「会えるって約束して」

仲吾は約束してくれなかった。寂しげに微笑んだだけだ。

22

草薙が紙袋から取り出した芋焼酎の瓶を見て、ほう、と湯川は少し頬を緩ませた。

「『森伊蔵』とは驚きだな。どうやって手に入れた？　たしか抽選に当たらないと買えないはずだ。警察特権でも使ったか」

「そんなんじゃないが、人脈を生かしたのは事実だ。違法に入手したわけではないから、遠慮なく受け取ってくれ」

「もちろん、遠慮はしない」湯川は瓶を自分の机の下に置いた。「しかし感謝の意を表するのは少し早いんじゃないのか。事件はまだ解決していないだろ？　長岡氏を殺害した犯人もわかっちゃいないはずだ」

「その通りだが、今後のことを考えると、おまえの機嫌をとっておく必要はあると判断した。それにやはり、倉坂由里奈さんから例の供述を引き出せたのは大きかった。俺も彼女とは会っていたんだが、あそこまで深く今回の事件に関わっているとは思わなかった。迂闊だった。素直に感謝するよ。助かった」

草薙が頭を下げると、いつもと様子が違うことに戸惑ったか、湯川は居心地が悪そうな顔で鼻を掻いた。

「倉坂由里奈さんの話を聞くかぎり、長岡さん殺しで古芝伸吾を疑うのは的外れのようだ。つまり、おまえの主張通りだった。だから今日は、古芝の話はしない。それについては後日改めて、だ」

湯川の顔に、ふっと影がさした。古芝伸吾の苦悩と決断に思いを馳せたのかもしれない。しかし何かをふっきるように、口元に笑みを浮かべた。

「由里奈さんの話は、長岡さん殺しの事件解決に役立ちそうか」

「もちろんだ」草薙は作業台に肘を載せた。「重要なのは倉坂由里奈さんが長岡さんに渡した二つの証拠だ。ひとつは古芝伸吾と大賀仁策の電話でのやりとりを録音したデータ、もう一つは古芝秋穂さんが大賀に送ったメールの写真だ。間違いなく、この二つが事件に関係している」

「長岡さんは古芝君の名前こそ出さなかったが、レールガンの製作者が愚かな行動に出ることは自分が責任を持って阻止する、と断言していた。それらの証拠を、どのように使うつもりだったんだろう」

「問題はそこだ。単純に考えれば、どこかの週刊誌あたりに記事を持ち込むところだが、そういうことをした形跡はない。それともこれから動くつもりだったのか。いずれにせよ長岡さんを殺した人間は、それらの証拠が表に出たら困る人間だと思う」

「だとしたら、最も怪しい人間が一人いるじゃないか」

「大賀仁策だといいたいんだろ。残念ながら、それはない」草薙は手の甲で払うしぐさをした。「長岡さんが殺されたと思われる日、大賀は東京にいなかった」

「アリバイがあるというわけか。本人がやらなくても、手足となって動く人間はいくらでもいるんじゃないのか」

「もちろんそういう可能性も探ってるよ。大賀の事務所に気づかれないようにやるのは大変だけどな。それはともかくわからんのは、誰が犯人にせよ、なぜその人物は長岡さんがそういうネタを摑んだことを知ったかだ。二つの証拠品の扱いについては、長岡さんも慎重になっていたはずなんだ」

この疑問には湯川も同意らしく、ゆっくりと頭を上下させた。それからふと思いついたように草薙に目を向けてきた。

「由里奈さんの告白はどうなった？」

「えっ？」

「彼女によれば、長岡さんはボイスレコーダーで録音したようだ。それはどうなったのかと訊いているんだ」

ああ、と頷いて草薙は顔をしかめた。

「残念ながら見つからない。データはタブレットかスマートフォンに入っていたのかもしれないが、どちらも犯人に持ち去られているからな。ついでにいうと、ボイスレコーダーも消えている」

「ふうん、そうなのか」湯川は口元に手を当て、何やら考え込んでいる。

「それだけでも見つかれば、ずいぶん助かるんだがな」

「というと？」

「要するに、倉坂由里奈さんの話の裏付けが取れるということだ」

「ほう、彼女が嘘をついているとでも？」湯川は呆れたような目を向けてきた。

「疑うのが俺たちの仕事なんだよ。どんなことにも裏を取るってのが鉄則だ。それに彼女に嘘をつく気はなくても、忘れてたり、記憶が違ったりしてる可能性もあるだろ。その録音データがあれば、彼女がどんなふうに長岡さんに話したのか、正確に知ることができる」

「ふん、なるほどね。そういうことなら、いいことを教えてやろう」湯川は意味ありげに少し身を乗り出してきた。「由里奈さんの声を録音したボイスレコーダーは、もう一つある」

「えっ」

「しかもそれはペンタイプだ」

「ペンタイプ？」

「ボイスレコーダーには様々なものがある。一見したところはふつうのボールペンで、実際にペンとしても使用できるが、じつはボイスレコーダーという製品があるのを知らないか。相手に気づかれずに録音したい時に便利だ」

「長岡さんが、そういうものを持っていたというのか」

「そうだ」

「どうして知ってる？」

湯川は腰を浮かせて座り直し、少し胸を反らせた。「見たからだ」

「見た？　どこで？」

「もちろん、ここでだ」湯川は床を指差した。「長岡さんは最初、ふつうのボイスレコーダーを出した。そして、録音してもいいかと尋ねてきた。僕は、困ると答えた。インタビューに応じると約束した覚えはない、と」

「すると長岡さんは？」

「わかったといってボイスレコーダーをしまった。しかし彼は録音を諦めたわけではなかった。胸のポケットに挿したボールペンに触れようとした。そこで僕はいった。そっちのレコーダーも遠慮してもらいたい、とね。彼は慌てた様子でごまかそうとしたが、すぐに観念したよ。どうしてわかったのかと訊かれたので、インターネットで見たことがあると答えておいた」

「へえ、そんなことが」

長岡修は湯川のことを、食えない学者だと思ったに違いない。

「ライターたちが複数のボイスレコーダーを使用するのは珍しくない。多くの場合、故障した時のバックアップだ。しかし相手が録音を許可してくれるかどうかわからない場合、わざと一台は隠しておいて、万一録音を断られた時にはそちらを使う、ということもあるようだ。長岡さんが僕にやろうとしたのが、その手口だろう」

「そういうことか。しかし倉坂由里奈さんは録音に同意しているぞ。それなのにペンタイプのものも使うかな」

「使うだろう。バックアップは必要だ」

いわれてみればその通りだ。草薙は反論できなかった。

「もう一度、長岡さんの部屋を調べてみることをお勧めする」湯川はいった。「ペンタイプのボイスレコーダーが見つかるかもしれない。犯人はいろいろと持ち去ったようだが、あれは本当にふつうのペンと見分けがつかない。気づかなかった可能性がある。捜査員たちが見落としている可能性も」

「わかった。早速、調べさせよう」草薙は椅子から腰を上げた。「意外な収穫があった」

「もしボイスレコーダーが見つかったら、この次は『オーパス・ワン』がいいな」湯川が挙げたのは超高級ワインの名だ。

「考えておくよ」草薙はドアに向かいかけ、足を止めて振り返った。「古芝伸吾に逮捕状が出ている。器物損壊と殺人予備罪だ。未成年なので指名手配は見送られた」

湯川の目つきが険しくなった。「それで？」

「それだけだ。一応、知らせておこうと思ってな」

「そうか。確かに聞いた」

「近々、また連絡する。『森伊蔵』を受け取ったことを忘れるな」

じゃあまた、といって草薙は第十三研究室を後にした。

それから約二時間後、長岡修の部屋を改めて調べた岸谷から、ボールペン型のボイスレコーダーが見つかったという知らせが入った。机の引き出しに、いくつかの筆記具と一緒に入れられていたらしい。ふつうのボールペンと見分けがつかず、すぐには気づかなかったという。

「中身は聞いてみたか」草薙は電話で尋ねた。

「いえそれが、バッテリーが切れているので聞けないんです。充電する必要があります」

「よし、とりあえずこっちに持ってきてくれ」

間もなく岸谷が戻ってきた。差し出された物を見て、草薙は苦笑した。「これじゃあ、気づかないのも無理ないな」

それはどう見ても、ただの黒いノック式ボールペンだった。若干高級感があるが、不自然なほどではない。使い方もよくわからなかった。

パソコンにデータを移し、早速聞いてみることにした。間宮や内海薫にも声をかけた。皆が注目する中、スピーカーから流れてきたのは、ぼそぼそという声だった。明らかに倉坂由里奈のものではない。しかも会話が聞き取りづらい。音量を上げても効果がなかった。

「何だ、これは。どうしてこんなに聞こえないんだ」間宮が不満げに口を尖らせた。

「話している人間たちが遠くにいるのかもしれませんね」草薙はいった。「いずれにせよ、倉坂さんが長岡さんに話した時のものではなさそうです。これは別の取材で録音したものでしょう」

「それにしても聞こえなさすぎるぞ」

あの、と岸谷が小さく手を上げた。「引き出しに入っていたからではないでしょうか」

意味がわからず草薙が後輩刑事の顔を見返すと、岸谷はボイスレコーダーを指した。

「自分が見つけた時、スイッチが入ったままだったんです。バッテリーが切れていたのも、そのせいだと思うんですが」

「スイッチを切り忘れて、引き出しに入れたということか」間宮がいった。「つまりこの音声は、意図的なものではなく、たまたま録音されてしまったものだと」

「いや、違いますね」草薙は首を振った。「長岡さんは、わざと引き出しに潜ませたんじゃないですか。部屋に訪ねてくる誰かとの会話を録音するために。そしてそのままボイスレコーダーのスイッチが切られなかったということは……」

間宮が目を剝いた。「訪ねてきた人間が長岡さんを殺した。つまりこれは犯人と長岡さんの会話なのか」

「そういうことじゃないでしょうか」

間宮がパソコンに顔を近づけた。何とかして会話を聞き取ろうとしているようだ。草薙も横で耳を澄ませたが、男が話しているということ以外、よくわからない。

「くそっ、聞こえんな」

間宮が舌打ちした直後だ。がたん、と何かが倒れるような音がした。そしてその後、話し声は一切聞こえなくなった。

草薙は唾を呑み込み、間宮と顔を見合わせた。今の衝撃音は何なのか。長岡修は絞殺され、床に倒れていた。その時の音ではなかったか。

そんなことを考えていると、突然スピーカーからけたたましい音が流れてきた。草薙は思わず後ずさりした。音はすぐに止まった。

「何だ、今のは」間宮も驚いたようだ。

さあ、と草薙が首を捻った時、「もう一度お願いしますっ」と内海薫がいった。「今のところ、もう一度聞かせてください」

草薙は岸谷に目配せした。岸谷はパソコンを操作し、今の部分を再生した。けたたましい音の正体は、二度目でも草薙にはわからなかった。

しかし内海薫は何かを確信したようだ。彼女は大きく頷いた後、間宮と草薙を交互に見てからいった。

「『津軽じょんがら節』です。ある人物がスマートフォンの着信音に使っています」

23

勝田幹生の事情聴取は、警視庁の取調室で行われることになった。任意出頭を求められた時から顔面が蒼白だった勝田だが、長岡修の部屋に行ったことは認めようとしなかった。

「だったら三月五日の行動を詳しく話していただけませんか」草薙はいった。

「だから、その日は店が休みだったので、ずっと家にいたといってるじゃないですか」

「それはわかりましたから、何らかの形で証明してくださいとお願いしているわけです。たとえ独り暮らしでも不可能ではないと思いますよ。近所でこんなことがあったとか、誰かが訪ねてきたとか、話してくだされぱいいんです。何かありませんか。それさえあれば、すぐに帰ってくださって結構なんですがね」

勝田は苦しげな顔で黙り込んだ。こめかみに浮いた汗を見て、これで決まりだなと草薙は確信した。

それから間もなく、勝田の自宅を家宅捜索していた捜査員からの知らせが届いた。長岡修のタブレットが見つかったらしい。タブレットには古芝伸吾と大賀仁策の電話でのやりとりを録音したデータ、古芝秋穂のメールを撮影した画像データ、そして倉坂由里奈との会話を録音したデータが入っていたということだった。

草薙はその事実を勝田に告げた。

「どういうことですか。あなたは最近、長岡さんとは電話で話しただけなんですよね。それなのに、なぜ長岡さんのタブレットがあなたの部屋にあるんですか。我々にもわかるように、きちんと説明していただけますか」

勝田は項垂《うなだ》れたままで、言葉を発しようとしなかった。踏ん切りがつかないのだ、と草薙は見抜いた。

「勝田さん、と柔らかく呼びかけた。「早い段階で反省の態度を示しておいたほうが、後々、何かと有利ですよ」

勝田がゆっくりと顔を上げた。目が合ったところで、草薙は頷いた。

「魔が差したんです」勝田はいった。

「ええ、そうでしょうとも」草薙は話を合わせた。「詳しいことを話していただけますね」

勝田は小さく首を縦に動かした後、「お茶をいただけますか」と訊いた。

「もちろんです。――勝田さんに新しいお茶を」草薙は、後ろで記録係を務めている内海薫にいった。

勝田の供述は、スーパー・テクノポリス計画への反対運動に加わった頃の話から始まった。きっかけは、いつもキノコを採りに入っている山で、調査工事をしている連中と出くわしたことだ。キノコを採ろうとした場所を勝手に立入禁止区域に設定され、頭にきた。

反対集会が開かれたので出席してみると、さらに驚くべきことが判明した。高レベル放射性廃棄物が持ち込まれる予定だという。そんなことになったら、仮に放射能が漏れないにせよ、その付近で採取されたキノコなど誰も食べたがらなくなる。何としてでも中止にさせないと、と思った。

アウトドア派の勝田は、様々な自然保護団体とも繋がりがあった。彼等とも連絡を取り合いながら、反対運動の輪を広げていくことにした。気がつくと反対派の中でも中心的な役割を担うようになっていた。

「勝田さんが加わってくれて以来、団結力が強くなった」そんなふうにいってもらえることも増えた。負担は小さくなかったが、慕われて悪い気のする人間はいない。ますます反対運動に熱意を燃やした。

だが転機は唐突に訪れた。

昨年の春だった。勝田が経営するレストランに一人の男が訪ねてきた。男はコース料理を食した後、折り入って話がある、といって勝田を席に呼んだ。

「大変おいしくいただきました。堪能しました」男はそういってペーパーナプキンで口をぬぐった。穏やかな表情をしているが、目の奥には修羅場をくぐってきた狡猾そうな光が宿っていた。カリフラワーのようにつぶれた耳も不気味だった。

おそれいります、と勝田は礼を述べた。

「この素晴らしい料理ですが」男は意味ありげな視線を向けてきた。「一体、いつまで出せますかね」

思いがけない言葉に、はあ、と勝田は相手の顔を見た。「どういう意味でしょうか」

男は口元だけに笑みを浮かべていった。

「そのままの意味です。純粋に心配しているんですよ。こんなにおいしい料理を出す店が、やむをえず店を閉めねばならなくなったら残念だ、と」

勝田は頬が引きつるのを感じた。侮辱的な発言に、本来なら声を荒らげてもいいところだった。しかしそうはできなかった。懸命に作り笑いを浮かべ、「そうならないよう、がんばっていきたいと思います」と答えるのが精一杯だった。

「ええ、是非ともがんばっていただきたいと思っています。しかし、ささやかな努力というのには、やはり限界があります。時には大きな力に頼るのも、生きるための知恵だと思うのですが」そういって男は一枚の名刺を出した。男の名字は矢場といい、肩書きは建築コンサルタントだった。

「何のことをおっしゃっているのか、よくわからないんですが」

すると矢場は、嫌味な笑みを浮かべた顔を近づけてきた。

「こちらの店の経営状態については把握しています。失礼ながら、悠長なことをいっていられる段階ではないはずです。店を手放すということなら、それも結構。しかしもし何とかしたいということなら、お力になれます——とまあ、今日はそういうことを申し上げたくて参上した次第です」

勝田は相手の顔を見つめ返した。「あなたは……一体、何者ですか」

「詳しいことは別の場所で説明させていただく、ということでどうでしょうか。あなたにとって損な存在ではないということはいっておきます」矢場は立ち上がった。「近いうちに連絡しますよ。ごちそうさまでした」

その日以後、矢場の言葉が頭から離れなくなった。

あの男は勝田の店の実情を見抜いていた。

一時期、料理人自らが採取してきたキノコを料理しているということで話題になり、客が詰めかけたことがあった。それでも地に足を着けた商売をしていればよかったのだが、下手に欲を出した。増築して席数を増やしたのだ。それが失敗だった。ブームなど、いずれは過ぎ去る。空席の多い店内の雰囲気は、リピーターの足を遠のかせた。増築のための借金は、低価格でおいしいものを出す、というコンセプトの維持を難しくした。気づけば借金が嵩《かさ》み、早急に手を打たないと店を畳まねばならないという窮地にまで追い詰められてしまっていたのだ。

それから間もなく、矢場から連絡があった。民家風の料亭の一室で顔を合わせると、矢場は早々に自分の正体を明かした。スーパー・テクノポリス計画推進の渉外を請け負っている、というのだ。

当惑する勝田に矢場は、ふっふっと不気味な笑いを向けてきた。

「妙だと思うでしょうね。しかしあなたが反対派のリーダー格だと見込んだからこそ、こういう良い話を持ってこれるのだと思ってください。あなたにとって良い話を」

「どんなふうに良いんですか」勝田は身構えながら訊いた。

「ほかでもありません。あなたの店を再建する手助けをさせてもらいたいんですよ。もちろん無条件というわけにはいきませんが」

「条件というのは、もしや……推進派に寝返れとか？」

矢場が、にやりと笑った。図星だとわかり、勝田は膝を立てた。帰ります、といった。

「見損なってもらっちゃ困る。俺が金で動くとでも思うんですか」

「じゃあ、何だったら動くんですか。あなた、何のために反対運動をしてるんですか。きっかけはキノコ料理の人気が落ちることをおそれてでしょう？　それって商売のため、お金のためってことじゃないんですか。だからこちらも、それなりの補償金で話をつけようと考えたわけなんですよ」

「補償金？」

「そう、補償金。不正なお金じゃありません。さあ、座り直してくださいよ。ゆっくりと話をしようじゃありませんか」

勝田は座布団に尻を戻していた。この瞬間、勝負はついていたのかもしれない。

矢場が出した条件は、単に推進派に寝返れというものではなかった。それどころか、今まで通り反対運動を続けてもらって構わないというのだった。

ただし、と矢場は勝田のグラスにビールを注いだ。

「情報を提供してもらいたいんです」

「情報？」

「反対派に関する情報です。予定している活動内容とか、参加する人たちの顔ぶれといったことを、こっそり教えてくださるだけでいいんです。あとは何もする必要はありません。これまでと同じように反対派の人たちと付き合ってくださって結構です。それなら裏切り者と罵《ののし》られることもないでしょ」

その代わり、といって矢場が提示した金額は魅力的なものだった。それだけあれば、とりあえずは急場を凌《しの》げる。勝田の心はぐらついた。

そこへ矢場は追い打ちを掛けた。

「反対運動、大いに結構。そういうことがあったほうが議論を尽くしたっていう感じがする。問題はね、引き際なんです。じつは勝田さんもわかってらっしゃるんじゃないですか？　どの道、勝ち目のない戦《いくさ》だってことは。反対派だって、いつかは刀を鞘《さや》に収めなきゃいけない。大事なことはタイミングです。そこを見誤ると、何にも得るものがない。一銭だって手に入らないってことです。それでいいんですか」

言葉の一つ一つが勝田の気持ちを揺さぶった。

矢場は勝田の本質を見抜いていたのだ。反対派の多くは、純粋に自然保護を望む思いから活動に参加している。しかし勝田は違っていた。矢場が指摘したように、ますます商売がうまくいかなくなるのではないか、という危機感がきっかけだった。だから頭の片隅で、補償金という話が出るならば交渉の席についてもいいと考えていたことは否めない。

「大した情報は流せないかもしれませんよ」

勝田の言葉に、矢場は相好を崩した。

「それはそれで結構。反対運動が下火になったということですからね。では取引成立ってことでいいですね。いや、よかったよかった。あなたは先を読める人だ。必ず引き受けてもらえるものと思っていましたよ。さあさあ、飲んでください。この店はうまい酒を揃えてるんです。遠慮なくどうぞ」

この日を境に勝田の真の立場は逆転した。推進派のスパイとして活動することになったのだ。しかし反対運動の詳細を把握しておくためには、中枢にいる必要があった。むしろそれまで以上に熱心に反対運動に参加することになった。

すでに工事が始まっている場所で、環境保護の観点から車両の通行が禁止されている区間をトラックが通っている、という情報が入ったことがあった。反対運動の仲間たちと現場に行き、証拠写真を撮ろうとしたが、その時にかぎって一台も通らなかった。それだけでなく轍《わだち》も消されていた。無論、勝田が矢場に知らせたからだ。草を枯らすために違法な薬剤が使われているという情報が入った時も、いち早く矢場に電話をした。

活動に関する情報だけでなく、反対派メンバーたちに関することも矢場に流した。すると強硬で積極的だったメンバーが、櫛の歯が欠けるように一人また一人と離脱していった。個々に懐柔されていったに違いなかった。

そして今年になり、反対運動は完全に盛りを過ぎた気配になった。最近ではろくな活動がなく、諦めムードが漂っている。

一方で勝田は焦燥感に襲われていた。相変わらず、店の経営状態は思わしくなかった。矢場から受け取った報酬は、一時凌ぎに終わっていた。思い悩んだ末、矢場に無心することを考えた。

しかし久しぶりに会う矢場は冷淡だった。

「情報が何もないのに金を寄越せっていうのは、勝田さん、それはちょっと虫がよすぎるんじゃないですか」口元を歪めていった。

「だけど俺のおかげで反対派をおとなしくさせられたんでしょ。だったら少しは――」

勝田さん、と矢場は酷薄な目つきで睨みつけてきた。

「あまり無茶なことをいうようなら、あなたがスパイだってことをばらしますよ。こっちとしては、痛くも痒くもありませんのでね」

ぐっと言葉に詰まった。すると矢場は勝田の肩に手を置いていった。

「ネタが見つかったら、持ってきてください。いつでも買い取ります」

低い声でいわれるのを聞きながら、勝田は自分が使い捨てにされたことを悟った。矢場に利用されただけだったのだ。

長岡修から連絡があったのは、そんな時だった。

長岡は、勝田にとって扱いにくい人間だった。反対派ではあるが、主に単独で行動していた。だがスーパー・テクノポリス計画の欠点を誰よりもよく知っていた。どんな利権がどのように絡まり合っているのかを把握し、一部の人間だけが旨い汁を吸う計画ではないかと疑っていた。特に最近では、大賀仁策個人を標的にしているようだ。だが彼がどんなカードを持っているのか、よくは知らなかった。

そんな長岡が電話口でこういった。

「大賀仁策のことで、すごいネタを摑みました。転がし方次第では、第一線から姿を消させられるかもしれません」

興奮している口調だった。詳しく話したいので近々会えないか、と尋ねてきた。

勝田のほうに拒む理由はない。むしろ、一刻も早く話を聞きたかった。すごいネタとはどんなものなのか。たかがフリーライターに、大賀ほどの大物を失脚させることなどできるものだろうか。

他人には万一にも聞かれたくないから自宅に来てほしい、と長岡はいった。店が休みの三月五日、勝田は長岡と会うために上京した。

顔を合わせると挨拶もそこそこに、長岡はタブレットを出してきた。そして何も説明せず、いきなり音声データを再生した。

聞こえてきたのは二人の男のやりとりだった。電話での会話らしい。一方は若い男のようだが、聞いたことのない声だった。だがもう一人の声を聞き、勝田は身を固くした。大賀仁策に違いなかったからだ。

驚きのあまり、会話の内容は頭に入ってこなかった。そのことに気づいたのか、長岡はもう一度再生してくれた。

今度はよくわかった。警察官を名乗る若い男がコシバアキホという女性について尋ねている。それに対して年配の男、おそらく大賀仁策と思われる人物が叱責しているのだ。

何ですかこれは、と勝田は長岡に訊いた。長岡は、にやりと笑った。そして驚愕するようなことを話し始めた。

大賀の担当記者だった古芝秋穂という女性は、じつは愛人でもあった。彼女は昨年の四月に都内のホテルで急死したが、助かる見込みがあったにもかかわらず、一緒にいた大賀が見捨てて逃げたがために命を落とした可能性が高い、というのだった。

音声データは、真相に気づいた古芝秋穂の弟が、大賀に電話をかけて録音したものらしい。大賀の番号は、姉のスマートフォンから突き止めたと思われた。

このようなものをどうやって手に入れたのかと勝田は訊いた。それに対して長岡は、特殊なルートだとしかいわなかった。

「捏造されたものなんかじゃありません。古芝秋穂さんの弟さんに極めて近い人物から入手したものです。本当は、その弟さんから直接話を聞ければいいのですが、現時点では事情があってそれは難しいんです。でも大丈夫です。証拠はほかにもあります。たとえば、こういうものです」

そういって長岡が見せたのは、一枚の画像データだ。スマートフォンのメール画面らしきものが写って、『1820です』というタイトル名が読めた。長岡によれば、古芝秋穂が大賀に送ったもので、亡くなった時のホテルの部屋が1820号室だったらしい。

「俺に打ち明けてくれた人との会話も録音してあります。その人から記事にする許可も得ています。というより、是非とも記事にしてほしいといわれてるんです」

長岡の話を聞きながら、勝田は混乱し始めていた。すごいネタとは女性スキャンダルのことだったのか。まるっきり予想外だった。金に絡む話だろうと決めてかかっていた。

いつ公表する気なのか、と訊いてみた。長岡の回答は、準備が出来次第、というものだった。

「標的が標的だけに、慎重に事を起こす必要があります。今、どこの編集部に話を持っていくべきか検討しているところです。途中で腰が引けるようなところには任せられないですからね」

この件については、ほかの誰にも話していないのだと長岡は添えた。

勝田は考えを巡らせた。たしかにすごいネタだ。そしてこれなら矢場が買ってくれるのではないか、と思った。大賀の失脚はスーパー・テクノポリス計画に大きな影響を与えるに違いないからだ。

しかし記事が出てからでは遅い。情報としての価値がなくなってしまう。

「記事を出すのは少し待ってもらえませんか」勝田はいった。「地元の仲間たちと相談したいので」

すると長岡は意外なことを聞いたように瞬きした。

「何を相談する必要があるんですか。大賀のスキャンダルが世に出れば、あなた方にとっては強力な追い風になるはずだ。それにこれはスーパー・テクノポリス計画に直接関係している話じゃない。あくまでも大賀個人のことです。本来あなたには関係がないのですが、善意からお話ししたのです」

しかし、と勝田は声を裏返らせた。

「こちらにも都合があります。反対運動は連携を取って進めていくのが鉄則です。勝手なことはしないでもらいたいんです」

「どういう都合ですか？　どこが勝手なのですか。おかしなことをいいますね」そういった後で長岡は、じっと勝田の顔を見つめた。「どうしました？　なぜそんなに怖い顔をしているんですか。何か都合の悪いことでもあるんですか。あなたのそんな様子を見ていると、あの噂のことが気になってしまいますね。あの奇妙な噂のことが」

「奇妙な噂？」

「あなたの地元で耳にしたんですよ。勝田幹生は推進派に寝返るつもりじゃないかってね。いや、じつは元から推進派のスパイだったんじゃないかという説さえある。スパイで、敵に情報を流してるんじゃないかってね」

勝田は狼狽を顔に出さないようにするのが精一杯だった。

「そんな馬鹿な、そんなこと、あるわけないじゃないですか」

懸命に弁明したが、長岡をごまかすことはできなかった。勝田さん、と呼びかけてきた口調は冷徹だった。

「本当のことをいったらどうです。そうすれば、俺から提案できることもあるんですがね」

「提案？」

「スパイだってことを認めるんですね」

「それは、何のことだかさっぱり……」

ふふん、と長岡は鼻を鳴らした。

「まあいいでしょう。とりあえず俺の話を聞いてください。今の段階でも大賀のスキャンダルを記事にすることは十分に可能です。しかし俺としてはもう少し補強をしておきたい。大賀にいい逃れをさせない材料がほしい。そこで提案です。まずあなたがこの情報を向こう側に持っていく。スパイとしてね」

「だから俺はスパイじゃ——」

「まあ聞いてください。ただしこれまでみたいに小物と会うだけじゃだめです。どうせ、事業者側から雇われた交渉役か何かと会ってるんでしょ？　それじゃいけません。できれば大賀本人、最低でも秘書クラスに接触してもらいたいんです。向こうは慌てるでしょう。何とかして情報を揉み消そうとするはずです。あなたの本当の役割はそこからです。連中がどう出るかを摑んできてもらいたいんです。できれば証拠を添えて。それがあれば記事は完璧になる。つまりあなたはスパイではなくダブルスパイ、結果的には反対派を裏切らなかったわけだ。そうなれば英雄ですよ。いかがですか、この提案は」

長岡の話に、勝田は一層混乱した。スパイではなくダブルスパイ、それなら英雄——それでいいのだろうか。

いや、よくはない。

勝田としては、大賀仁策のことなどどうでもいいのだ。スーパー・テクノポリス計画もそうだ。大事なことは店だ。借金だ。今は金が必要なのだ。

いずれにせよこのままでは帰れない、と思った。何とかしなければ。長岡が持っている情報はほしい。しかしこの男を止めなければ意味がない。

勝田は目の端で、あるものを捉えていた。それはネクタイだ。事務机の前にある椅子の背もたれに、脱ぎ捨てられたスーツとワイシャツ、そしてネクタイが無造作に掛けられている。

「おかわりのコーヒーを淹れますよ。ゆっくり考えてみてください。時間はありますから」そういって長岡が立ち上がり、背中を向けた。

今しかチャンスがないと思った。これを逃せば、自分は破滅する——。

ネクタイを手にし、後ろから襲いかかった。首にネクタイを回し、後ろで交差させ、全力で引っ張った。長岡は呻《うめ》き声をあげ、両膝を床についた。勝田は絞めながら背中にのしかかった。九十キロ超の体重を預けた。

長岡は懸命に抵抗した。身体を揺すり、勝田の身体を振り落とそうとした。だが勝田としては逃がすわけにはいかなかった。ここで失敗したら、万事休すだ。

どれぐらい絞め続けていたのか、正確には覚えていない。気づけば長岡が動かなくなっていた。四つん這いだったはずが、俯せの状態で両足が伸びていた。

勝田はおそるおそる顔を見た。長岡の目は見開かれたままで、開いた口から大量の涎《よだれ》が垂れていた。呼吸をしている気配はなかった。

しばらく床に尻をついて座り、ぼんやりしていた。人を殺したという感覚はなかった。

自分で事を起こしておいて、何が起きたのか理解していない、そんな状態だった。

突然、スマートフォンが鳴りだした。『津軽じょんがら節』だ。あわてて出てみると、信用金庫の担当者からだった。こちらからかけ直す、といって電話を切った。

気づくと異臭が漂っていた。尿の臭いだった。長岡の股間が濡れていた。

ようやく自分のすべきことに気づいた。勝田は立ち上がり、そばのティッシュに手を伸ばした。何枚か引き抜くと、自分が触れたと思われるところを拭き始めた。拭いた後のティッシュはゴミ箱には捨てず、自分のバッグに放り込んだ。それすらも手がかりになるような気がしたからだ。口を付けたコーヒーカップもバッグに入れた。唾液が検出されたらまずい。凶器に使ったネクタイも、長岡の首から慎重に外してバッグにしまった。

そばにデイパックがあったので、指紋を付けないように気をつけながら中をまさぐった。手帳とデジカメが見つかった。タブレットや長岡のスマートフォンと共に、それらもバッグに入れた。テーブルの上には長岡が、「一応記録をとらせてもらいます」といってセットしたボイスレコーダーが置いてあった。それももちろんバッグに突っ込んだ。もう一つ別にボイスレコーダーが隠してあることなど考えもしなかった。

バッグを抱えると、なるべくどこにも触れないように用心しながら部屋を出て施錠した。駅に向かう途中、部屋の鍵と共に長岡のスマートフォンは川に捨てた。ＧＰＳで追跡されるとまずいからだ。

恐ろしさがこみ上げてきたのは、帰りの列車の中でだった。事切れた後の長岡の目が網膜に焼き付き、いつまでも消えなかった。

人殺しを犯してまで入手した情報だったが、すぐに矢場のところへ持っていくのは躊躇われた。長岡殺しの捜査が一段落してから、と考えていた。

不思議なことに、それは自分が逮捕される時ではないか、とは考えなかった。

24

薫の話を聞き終えた後も、湯川の翳りを帯びた表情に変化はなかった。椅子に座り、じっと窓の外に顔を向けている。その手にはインスタントコーヒーの入ったマグカップがあったが、先程からずっと口元には運ばれていない。

湯川先生、と薫は彼の背中に声をかけた。「よかったですね。これで古芝君への疑いは完全に晴れました」

湯川は彼にしては緩慢な動きで振り返った。コーヒーを一口飲み、冷めてしまっているせいか顔をしかめ、マグカップをそばの作業台に置いた。

「長岡さん殺しについていってるのなら全く無意味だ。何度もいっているように、その件について古芝君を疑ったことなど一度もない」

「ええ、古芝君は無関係でした。でも、彼によって新たな事件が起きようとしています。それについては先生も否定できないと思うのですが」

湯川は答えず、沈痛な面持ちで作業台に腰かけた。じっと宙を見つめる視線の先にあるのは、愛弟子の姿だろうか。

「警視庁からの依頼です」薫はいった。「明日の朝早く、出来れば今夜から、私と一緒に行っていただきたいところがあります」

湯川が顔を上げた。唇の端に薄い笑みが滲んでいる。「デートの誘いか。場所は？」

「光原町です」

湯川の顔が一層曇った。眼鏡を外し、乱暴に投げ出した。

「スーパー・テクノポリスか……」

「先日、お話ししたでしょう？ いよいよ明日、地鎮祭が行われるんです。大賀代議士も出席するそうです。レールガンで狙い撃ちすることは物理的に不可能ではない、と先生はおっしゃいましたよね。そのお考えに変わりはありませんか」

「変わりない。物理的には可能だ」

「だから一緒に行ってもらいたいんです。私たちにアドバイスをお願いします」

湯川は手を横に振った。

「そんな必要はないだろう。大賀代議士に事情を話し、欠席してもらえば済む話だ」

「おっしゃる通りです。だからその方向でも話が進められています。でも代議士が納得してくださるかどうかはわかりません。何しろスーパー・テクノポリスは代議士の悲願です。説得は難しいのではないか、というのが上司たちの予想です」

「だとしても、僕なんかが行く必要はない。レールガンを積載できそうな車を片っ端からチェックすればいい。人海戦術を使えば済む話だ」

「もちろんそうです。だから地元の県警とも連携して警備に当たることになっています。でも何が起きるかはわかりません。古芝君は頭の良い青年なんでしょ？　簡単に見つかるような方法は取らないかもしれない」

「たしかに頭の良い若者だが……」湯川は苦しげに顔を歪め、拳で作業台を叩いた。「犯罪に関しては不器用であってほしい。うまくやることは困難だと気づいて、断念してもらいたい」呻くような声だった。彼がこんな声を出すのを薫は聞いたことがなかった。

「彼を思い留まらせてください」薫はいった。「それができるのは先生だけなんですから」

「もし彼を止められる人間がいるとすれば……それは僕ではないと思う」

「じゃあ、誰なんですか」

湯川は立ち上がり、薫のほうを向いた。

「一緒に行ってほしいところがある。警察のバッジがあったほうが話が早い」

「どこですか」

「ついてくればわかる」

約一時間後、薫は湯川と共に新宿にある会社の応接室にいた。会社名は暁重工という。クレーンやブルドーザ、建築重機などを製造販売している会社だ。湯川によれば、古芝伸吾の亡き父である恵介が働いていたらしい。

この会社を訪れた目的について、「古芝君を止めるためだ」と湯川はいった。彼を思い留まらせるものがきっとあるはずだからだ、と。

薫は時計を見た。この部屋に通されてから十分あまりが経つ。古芝恵介さんのことをよく知る人に会いたい、できれば当時の資料も見せてもらいたい、と窓口となった総務部の人間にはいってあった。

ノックの音がした。どうぞ、と応じながら薫は腰を上げた。隣で湯川も立ち上がった。

ドアを開けて顔を覗かせたのは、すでに薫たちが挨拶を済ませている総務部の田村という男性だった。

「古芝さんと同じ職場だった者が一人おりましたので、連れてきましたが……」

「ありがとうございます。入ってもらってください」薫がいった。

田村がドアの外に向かって頷きかけると、生真面目そうな顔つきの五十代半ばと思われる男性が現れた。手に紙袋を提げている。

名刺交換をし、挨拶を交わした。男性は宮本といった。海外事業部に籍を置いていて、古芝恵介とは何度も一緒に仕事をしたという。

薫たちの訪問の目的は、行方不明になっている古芝伸吾を探すため、ということにしてある。何の事件の捜査に関わるかは、無論明かしていない。

「私は古芝伸吾君の高校の先輩で、ちょっとした付き合いがあるんです」湯川が切り出した。「古芝君の行き先について何か心当たりはないかと内海刑事から訊かれ、こちらの会社のことを思い出しました。彼はお父さんを尊敬していましたからね。お父さんのような技術者になるのが夢だったはずです」

「そうですか。しかし古芝さんが亡くなったのは五年近くも前ですし、こちらに息子さんの行き先に繋がるようなものはないと思うんですが」

「そうかもしれませんが、古芝君がよくいってたんです。いつか、父がどんな仕事をしていたのか、この目で見て回りたいと。だから古芝恵介さんの仕事についての資料を見れば、何か手がかりが得られるかもしれないと思いまして」

湯川の言葉に宮本は納得顔で頷いた。

「そういうことですか。古芝さんが取り組んでおられた事業についての資料は、ここに持ってきました」紙袋の中から分厚いファイルを出した。「ただし、その現場は日本ではないですよ」

「わかっています。カンボジアですよね」

さらりと答えた湯川の横顔を、薫は内心の動揺を隠しつつ見つめた。彼女には聞かされていなかったことだ。

「御存じでしたか。息子さんからお聞きになったんですね」

「いえ、娘さん……古芝伸吾君のお姉さんからです」

「古芝さんの息子さんは、カンボジアに行っているかもしれないと?」

「わかりません。その可能性もあるのではないかと思っただけです。資料を見せていただいても構いませんか」

「ああ……どうぞ」

拝見します、といって湯川はファイルに手を伸ばした。

彼が資料を読み始めたのを横目で見ながら、「ちょっといいですか」と薫は宮本にいった。「古芝さんから、息子さんの話を聞かれたことはありますか」

「ありますよ。自慢の息子さんだったようですね」宮本は目を輝かせた。

「どんなふうにいっておられましたか」

「よくいっておられたのが、教育費がかからないということでした。好奇心が強くて、自分から進んで本を読んだり、わからないことを調べたりするので、塾に行かせる必要がないとおっしゃってました。ただ、家の中で科学実験をやったりするものだから、危なくて仕方がないとも。子供の頃、豆電球を家庭用電源に繋ごうとしたこともあったとか。ただ、そんな話をする時も古芝さんは嬉しそうでしたけどね」宮本は懐かしさと寂しさが入り交じった表情を浮かべた。

薫は隣で熱心に資料を読んでいる人物を、ちらりと見た。この人が子供の頃も、そんなふうだったのではないかと想像した。

その湯川が不意に顔を上げた。

「このページ、コピーさせていただいても構いませんか」

えっ、と宮本が腰を浮かせた。「どのページですか」

「ここです。このレポートの後書きの部分です」湯川はファイルを開いて見せた。

宮本が眉間に皺を寄せ、視線を走らせた。田村も横から覗き込んでいる。

「実験データや研究結果には触れていない部分ですね」宮本は田村と顔を見合わせた後、湯川に頷きかけた。「特に問題はないと思います。でも、このページが何かの役に立つんですか」

「わかりませんが、役に立つような気がするんです。コピー機をお借りできますか」

「いや、私がコピーしてきます」田村がファイルを持って、部屋を出ていった。

ところで、と湯川は宮本にいった。「古芝恵介さんはどんな方でしたか」

宮本は少し考え込む顔をした後、「一言でいうとバイタリティのある人でしたね」といった。「妥協を許さず、常に最善を尽くすことを考えている人でした」

「なるほど。これもまた古芝さんのお嬢さんから聞いた話なのですが、中途採用だったそうですね」湯川がまた、薫の知らないことをいった。

「そうです。前はアメリカの企業にいたんじゃなかったのかな。そこを十年ほどで辞めて帰国し、うちの会社に入ったと聞いています」

「以前の会社や仕事について、古芝さんから話を聞いたことはありますか」

「いやあ、それが」宮本は口をすぼめ、首を捻った。「殆ど話してもらえなかったんです。こっちから訊いても、何だかはぐらかされる感じでね。だから、何か嫌なことでもあって、それで退社して日本に帰ってきたのかなと勝手に想像していたんです」

そうですかと湯川が相槌を打った時、ドアが開いてファイルとコピーを手にした田村が入ってきた。

25

ノックの音がした。椅子に座ったまま、どうぞ、と答えた。ドアが開き、鵜飼が抜け目のなさそうな顔を覗かせた。

「刑事部長は、お帰りになったようですね」

　ああ、と大賀は答えた。

「弱ってたよ。俺が、はっきりと断ったからな」

「やはり出席を見合わせてほしいという話でしたか」

「どこか屋内で挨拶してもらえないかってことだった。馬鹿げた話だ。地鎮祭は外でやるものと決まっている。だったら、挨拶も外だ」

「それでいいと思います」

「犯人がわかってるなら、しっかりと警備すればいいじゃないかといっておいた。天下の大賀仁策が、たかが若造一人を恐れて逃げ回れるかともな」

「おっしゃる通りです」

「明日は予定通りでいく。それでいいな」

「わかりました。手配は済んでおります。予定通りにお迎えにあがります」

「うん、よろしく頼む」

　では、と頭を下げ、鵜飼がドアに向かいかけた。それを、おい、と呼び止めた。

「情報が漏れた時のことを考えておいてくれ」

　鵜飼はゆっくりと振り返った。

「殺された物書きが嗅ぎつけていたという情報のことですね」

「そうだ。刑事部長は、表には出さないようなことをいっていたが、あてにならん」

「ええ、そうかもしれませんね」

「仮にマスコミに漏れたりしたらどうする？　相手の女の具合が悪いとは思わなかった、と押し通すだけでいいと思うか」

いえそれは、と鵜飼は顔の前で小さく手を動かした。

「よろしくありません。罪には問われませんが、著しくイメージが悪くなります。世間の人間は信用しないでしょうから。そもそも、女性問題自体がいけません」

「ではどうすればいい？」

そうですね、と呟いてから鵜飼は直立不動になり、何度か瞬きした。

「身代わりを用意しておきましょう。あの女性の交際相手は、先生以外の誰かだったことにするのです。当時その誰かは、先生の携帯電話を借りていた。だからあの夜も、その電話にメールをしてもらった。それでいいのではないですか」

「なるほどな。だけど、そんなに都合のいい身代わりが見つかるかな」

「何とかいたします。もし見つからなければ、私がやります」鵜飼は全く力みのない口調で、さらりといった。

大賀は一瞬言葉を失った後、この部下の覚悟に動揺してはならないと気づいた。うん、と鷹揚《おうよう》に頷いた。「その時は頼む」

「失礼してよろしいでしょうか」

「うん……ああ、鵜飼」大賀は少し考えた後、徐に口を開いた。「あの時の判断は、間違っちゃあいないよな」

鵜飼の細い目が、ほんの少しだけ見開かれた。

「当たり前です。先生は最善の道をお選びになりました。だからこそ、今日まで何の問題も起きなかったのです。そして明日からも大丈夫でしょう」

大賀は頷いた。「それを聞いて安心した」

先生は、と鵜飼は続けた。

「ある意味、あの夜から政治家におなりになったと思っております」糸のように細い目から不気味な光が漏れた。「本物の政治家に」

「本物……か。そうかもしれないな」

「どうか、ゆっくりとお休みくださいませ」丁寧に頭を下げ、鵜飼は部屋を出ていった。

大賀は机の引き出しを開けた。そこにチョコレートを忍ばせてある。一つ摘みだし、包装紙を剝がして口に入れた。酒は好きだが、甘いものにも目がなかった。

ゴディバのチョコレートを食べるようになったのは、バレンタインデーに古芝秋穂がプレゼントしてくれたことがきっかけだ。箱を開けると、色とりどりの装飾が施された丸いチョコレートが並んでいた。それはまるで宝石のように見えた。

「でしょう？　おいしいものを食べる時には、目にも栄養を与えないといけません。先生は日頃、汚いものを目にすることが多いから、栄養不足になっているはずなんです」

そういって秋穂は悪戯っぽく片目を瞑《つむ》った。

「何だ、汚いものって。いつ俺がそんなものを見た？」

「見てるじゃないですか。海千山千の先生方のお顔を。愛想笑いの隙間から、いかにして相手を蹴落とすか、敵の寝首をかくか、そんな思惑が滲み出ている。あんなものを毎日のように見ていたら、ふつうのものでさえ歪んで見えるようになります。その証拠に先生は、相手が純粋に善意でしてくれたことでも、何か魂胆があるんじゃないかとか、本当に信用していいんだろうかとか、いろいろと深読みするでしょう？　それは日頃汚いものを見過ぎているからです」

「政治家は疑り深くなきゃ務まらんのだ。しかし君のその理屈からすると、俺自身の顔も汚いってことになりゃせんか」

「そうでした。わあ、大変。世界中の鏡を壊してしまわないと」秋穂は手を叩きながら、ベッドの上でけらけらと笑った。

明るい女だった。その明るさに何度癒され、何度励まされただろうか。彼女にいわれるまでもなく、政治家の世界は精神戦の連続だ。時には何を考えているかわからない相手と対峙し、駆け引きを行わねばならない。必要な時には、敢えて悪者になることもある。スーパー・テクノポリス計画の推進のためには、少々強引な手も打った。恨んでいる者は多いだろう。敵対心や憎悪のシャワーを浴び、平気でいられる人間などいない。疲弊し、気力が萎《な》えそうになることもある。そんな時でも、秋穂と会えば勇気が湧いた。明日からも突き進んでいくぞという気になった。

秋穂のことは、初めて会った時から気に入っていた。見た目が好みだったこともあるが、何よりも惹かれたのは、怖じ気を知らない気風《きっぷ》のいい性格だ。新米記者にも拘らず、大賀に対してずけずけとものをいった。「君はそんなことも知らんのか」と叱ったら、「知っているから伺っているんです。先生のおやりになったことは、公約と違うのではないですか」と口を尖らせて反論してきたこともある。生意気な小娘だと思うことも多かったが、お追従ばかりを口にし、お手盛り記事を書けば仕事をした気になっている記者たちと比べれば、一緒にいてはるかに楽しかった。

しかし秋穂は、ただ明るくて元気なだけの女ではなかった。内側に、したたかさを秘めた強い女でもあった。

何かで二人きりになった時、一度抱かせろ、と大賀のほうからいった。無論本気だったが、たぶん断られるだろうなと予想していた。

ところが秋穂の反応は違った。じっと大賀の顔を見つめ、条件は、と訊いてきたのだ。

「条件？　何だ、金でもほしいのか」

するとと彼女は、ほとほと呆れたというように首を振った。

「それじゃあ売春婦じゃないですか。だったらソープにでも行ってください。私がいっているのは、そういうことではありません。特別な関係になるからには、いろいろとルールを作っておく必要があるといってるんです。だって先生は、奥様と離婚する気はないんでしょう？　私だって、揉め事に巻き込まれたくはありません。それにほかに好きな人ができたら、さっさと結婚したくなっちゃうかもしれない。つまり二人の関係は決して口外しない、お互いを束縛しないっていうのが、条件になるんじゃないですか」

なるほど、と大賀は感心した。頭のいい女だと改めて思った。

それから間もなく、二人は深い仲になった。ベッドの中で大賀は、俺のことが好きだったのか、と訊いた。

「抱かれてもいいかな、とは思っていました」秋穂は本音をいわない、どこまでもしたたかな女だった。

担当記者だからいつでも顔を合わせられたが、密会するのは月に一度か二度だった。連絡は主にメールで行った。そのためだけに大賀は携帯電話を買い足した。

秋穂は、二人の関係が世間に知られぬよう、細心の注意を払ってくれた。

「万一ってことがあるから、絶対にメールの中に御自分の名前を書いたりしちゃだめですよ。私の名前もだめ。もしどちらかが携帯電話を落として、中を誰かに読まれたりしたら大変でしょ。有権者の半数は女なんだから、政治家が女性問題を起こすのは言語道断。日本の総理大臣にもアメリカの大統領にも、それが原因で破滅した政治家がいますからね」親子ほども歳の違う愛人から、大賀はベッドで注意を受けた。

意外だったのは、秋穂が大賀に情報を乞わなかったことだ。まだマスコミが嗅ぎつけていない様々な情報を大賀は常に持っていたが、彼女のほうから訊いたり、探りを入れてきたりすることはなかった。そのことについて一度、大賀のほうから尋ねてみたことがある。すると秋穂は途端に険しい顔になり、こういった。

「だから、それをしたら売春婦と一緒だといったじゃないですか」

その目は本気で憤慨していた。大賀はあわてて身体を起こし、ベッドの上で両手をついて謝ったのだった。

秋穂のほうから尋ねてはこなかったが、大賀が情報を口にすることはあった。単純に、たまには彼女にネタを提供したいという気持ちからの時もあったが、政治的戦略からの情報操作の場合もあった。いずれの場合でも彼女は頑《かたく》なな態度をとらず、仕事に生かしていたようだ。二人の関係が露呈することはとうとうなかったが、怪しむような噂が流れたのは、彼女の情報源を憶測した者がいたからだろう。

大賀がスーパー・テクノポリス計画のことを一番たくさん話した相手は、間違いなく秋穂だった。公表されていることも、未発表のことも、廃案になったことも、殆どすべて話した。

「各施設間を移動する手段として、超小型のリニアモーターカーはどうだと提案したんだ。十人程度が乗れるやつを開発して、びゅんびゅん走り回らせる。見学者も金を払えば乗れるようにする。考えただけでも夢があると思わないか。ところが交通システムの担当者は煮えきらない。技術的に難しいとか、予算がないとかぬかしやがる。挙げ句の果てには、先生、単なる移動なら電気自動車でいいじゃないですか、ときたもんだ。そういう問題じゃないんだよ。スーパー・テクノポリスは未来を感じられるものでなきゃいけないんだ。今時、単なる電気自動車で未来を感じられるか？　わかってないんだ、連中は」

大賀のぼやきを聞き、秋穂は彼の腕の中で、うふふと笑った。何がおかしいんだと訊くと、おかしいんじゃなくて嬉しいんだ、と彼女はいった。

「スーパー・テクノポリスの話になると、先生は子供に戻る。子供になって、夢をどんどん語ってくれます。それが嬉しいんです。いつもはしかつめらしい顔で、現実的で夢のないことしか話さないくせに」

「何をいってる。俺にだって夢はあるぞ」

「だから安心したんです。でも、うまくいくんですか？　反対運動は、相当盛り上がってるみたいですけど」

「そっちのほうは地元の後援会に任せてある。池端会長は人脈があるし、頼りになる策士だ。事業者と手を組んで、何とかうまくやってくれると思うよ」

「でも、また先生が悪者にされちゃいますね」

「仕方がない。それが仕事だ」大賀は秋穂の髪を撫でながら続けた。「美しい自然や、稀少な野生生物を守ることは大切だ。しかしそれだけでは人間は食っていけない。結局のところこの国は、科学技術を売りにするしかないんだ。何十年か先になって、あの時に決断していればと後悔しても遅い。誰かが泥をかぶらなきゃならないんだ」

秋穂は大賀の胸にそっと手を置き、呟いた。科学を制するものは世界を制す――。

何だそれはと訊くと、皆が幸せになるための呪文、と彼女はいった。

秋穂とはいい付き合い方をしている、と大賀は思っていた。どちらにもメリットがあり、どちらも無理をしていない。そんなふうにして二年が過ぎた。

密会に使うホテルは三つあった。そのうちの一つが、あのホテルだった。地下の駐車場から直接部屋に行けるのが好都合だった。

駐車場に入る少し前に、秋穂からのメールが届いていた。タイトルは『１８２０です』というものだ。本文はない。いつものことだ。駐車すると、すぐに部屋に向かった。

部屋に行くと秋穂が笑顔で迎え入れてくれた。しかし少し様子がおかしい。顔色が悪く、辛そうに見えた。どうしたのかと訊いたが、何でもないと彼女は答えた。冷蔵庫からビールを出し、グラスに注いで二人で飲み始めた。だがその直後に秋穂は腹痛を訴え始めた。尋常な苦しみ方ではなかった。

ベッドに横にならせたが、苦痛が緩和される気配はなかった。彼女の顔は白くなっていく一方だ。大賀は彼女の下腹部を見て、仰天した。おびただしい量の血が流出していた。大丈夫かと尋ねても、弱々しく呻くだけで返答はない。

どうしていいかわからず、秘書の鵜飼に電話をかけた。秋穂とのことは、鵜飼にだけは話してあった。

事情を手短に話し、どうすればいいかと尋ねた。

すぐに部屋を出てください——それが鵜飼の答えだった。

「病院に連絡しなくていいのか」

「してはいけません。ホテルのフロントにも電話をかけないでください」

「なぜだ」

「そんなことをしたら、先生はそこにいなければならないからです」

「電話をかけてから出ていけばいいんじゃないか」

「だめです。電話をかけておきながらその場にいなかったとなれば、後で万一相手が先生だとばれた時、申し開きができません。先生は異変には気づかず、その部屋を出たのです。古芝さんの具合が悪くなったのは、先生が立ち去った後です。だから先生は、どこにも電話をかけなかった。そういうことにするのです」

鵜飼のいっていることはわかった。秋穂との関係を隠すには、部屋にはいないほうがいい。もし関係がばれたとしても、逃げだしたことだけは絶対に知られてはならない。

「このままにしておくと死ぬかもしれんぞ」

「もしそうなった場合は」鵜飼は淡々とした口調でいった。「仕方がないでしょうね。何しろ彼女は一人だったわけですから。そばに誰もいなかったのですから」

「しかし――」

先生、と鵜飼は冷徹な声で囁きかけてきた。

「今がどれほど大事な時期か、おわかりですよね。スーパー・テクノポリス計画が、ようやく形になりつつあるのです。政治家として、さらに飛躍するチャンスなのです。先生には、もっともっと大きくなってもらわねばなりません。総理の座が遠ざかってもいいのですか。いや、それどころじゃない。こういう形で女性問題が表面化すれば、総理への道は完全に閉ざされるでしょう。下手をすれば、生涯表舞台には出られなくなります。先生はそれでもいいかもしれませんが、我々はどうなります？　大勢の人間が、途端に路頭に迷います。よろしいですか。大賀仁策というのは、最早一人の個人ではないのです。そういう名の組織であることを忘れないでください」

電話を握りしめたまま、秋穂を見た。彼女は殆ど動かなくなっていた。

政治家が女性問題を起こすのは言語道断。日本の総理大臣にもアメリカの大統領にも、それが原因で破滅した政治家がいます──彼女の言葉が蘇った。皮肉なことに、それが大賀の背中を押した。

わかった、といった。電話の向こうから安堵の吐息が聞こえてきた。

「何も起こらなかった、何も見なかったと思って、いつものように部屋を出てください。わかりましたね」

「彼女の携帯電話に、私へのメールが残っていると思う。消したほうがいいだろうか」

「小細工は不要です。一刻も早く出てください」

「わかった」

電話を切り、すぐに部屋を出ることにした。クロゼットからコートを出し、ドアを開けて廊下に出る時、ベッドを振り返りたくなった。しかしそれはせず、そのまま足を踏み出した。

秋穂が亡くなったことは後日知った。子宮外妊娠だったらしいということは鵜飼が調べてきた。それを聞き、複雑な思いに駆られた。彼女は妊娠のことなど一言もいわなかった。たぶん気づいていなかったのだろう。

「先生が気に病む必要はありませんよ」鵜飼はいった。「あの時に救急車を呼んだところで、助かったとはかぎりません。体調不良に気づいていながら、密会を優先させた彼女自身の落ち度でもあるのです。一刻も早く忘れることをお勧めします。そして政治に専念するのです。それが彼女への供養にもなります」

大賀は頷いた。今さら悔いても仕方のないことだとは自分でも思った。

それからしばらくして妙な電話がかかってきた。警視庁の者だと名乗り、秋穂との関係を探ろうとした。電話口で恫喝したら、二度とかかってこなくなった。先程の刑事部長の話では、あれは秋穂の弟の仕業だったらしい。

秋穂に弟がいることは聞いていた。勉強のよくできる、自慢の弟だったようだ。彼女がいうのだから、本当に優秀なのだろう。奨学金のことで相談された。

その弟が復讐を企てているという。レールガンとかいう武器は、専門家の指導の下で作られたらしく、殺傷能力は馬鹿にならないらしい。

それもいいじゃないか、と思った。命を狙われるようになってこそ、鵜飼がいうところの「本物の政治家」だ。

ただし、この道は後戻りがきかない。行けるところまで突き進むしかない。人の道さえ外してきたのだから当然のことだ。

26

玄関のドアが開き、主婦らしき女性が顔を見せた。草薙は警視庁のバッジを示した。

「お忙しいところを申し訳ありません。パトロールに御協力願えますか」

「何でしょうか」中年女性が不安げに訊く。

「お宅の車庫にとめてあるお車を拝見させていただきたいんです。中をちょっと見せてもらってもいいでしょうか」

「うちの車をですか。それは構いませんけど」

ありがとうございます、と礼をいい、後ろで待機していた岸谷に目配せした。岸谷は小走りで車庫のほうへ行った。

「何のパトロールなんですか」中年女性が尋ねてきた。「テクノポリスと関係があるんですか」

さすがに地元住民だけに、今日何が行われるのかはわかっているようだ。

「まあ、そんなところです」草薙は曖昧に答えてから、一枚の写真を取り出した。「こういう人物を見かけたことはありませんか」

古芝伸吾の写真だった。中年女性は、見たことないです、とかぶりを振った。

岸谷が戻ってきた。「問題なしです」

草薙は女性のほうに向き直り、お手間を取らせました、と頭を下げた。

門を出て、岸谷と並んで歩きだした。隣の家の車庫を覗くと、そこにあったのは4ドアのセダンだ。問題なし、と口の中で呟いて通り過ぎる。レールガンを運ぶには大きな荷台が必要だ。先程の家の車はミニバンだったので、中を見せてもらうことにしたのだ。

スーツの内側でスマートフォンが震えた。見ると間宮からだった。通話ボタンにタッチし、はい、と返事した。

「どんな具合だ」

「こちらのエリアは、ほぼ終わりました。特に異状はありません」

「そうか。ほかのエリアも完了しつつあるがレールガンは見つかっていない」

「検問は続いているんですか」

「とりあえず、地鎮祭が終わるまでは続けてもらうことになっている。おまえたちはそっちが終わったら、Dテントまで移動して待機していてくれ。あとのことは追って連絡する」

「わかりました」

電話を切り、草薙は岸谷にも間宮からの指示を伝えた。

「これだけの警備をしていることは古芝にもわかっているでしょう。犯行は断念するの

「そうあってほしいが油断は大敵だ。何しろ、あの湯川の教え子だからな」
ではないですか」後輩の若手刑事はいった。

草薙たち警視庁の捜査員五十数名が、大賀仁策の地元である光原町に乗り込んできたのは、昨夜遅くのことだった。県警本部の大会議室において、合同対策会議が行われた。

倉坂由里奈の証言から、古芝伸吾が大賀の命を狙っているのは間違いなかった。問題は、いつどこで実行するつもりなのかということだが、やはり地鎮祭だろうということになった。スーパー・テクノポリスの第四パビリオン建設地で行われることになっており、大賀仁策も出席することが決まっている。地鎮祭の後には挨拶も予定されているらしい。

大賀の事務所には警視庁の上層部から、地鎮祭への出席を見合わせてもらいたいと申し入れたようだ。だがそれに対する答えはノーだった。「命を狙われる覚えなどないし、逃げ隠れするのは性分に合わない」と大賀本人は語っているらしい。それを聞いた時には、愛人が死にかけている現場から逃げたのは誰だ、と草薙は思った。

県警と連携し、今朝早くから草薙たちも現場周辺を調べて回っている。古芝伸吾を目撃した人物や、不審車両を探すのが目的だ。車両については、個人宅の車庫にある車も念のために調べるよう指示が出されている。警察が把握していない古芝伸吾の親戚や知人の家があり、そこに身を潜めている可能性もあるからだ。

万一古芝伸吾を見つけたらその場で逮捕せよ、というのが上からの指示だった。罪名は器物損壊と殺人予備罪だ。逮捕状は倉坂由里奈の証言に基づいて請求された。

草薙は岸谷と共にDテントに向かった。地鎮祭が行われる場所を中心として半径約一キロ圏内に、警察官の詰め所が六箇所設けられている。Dテントは、そのうちの一つだ。テント内には警視庁の知った顔があった。草薙とは同期だ。別の部署だが、応援に駆り出されたのだろう。

「やりすぎだよ。これじゃあ犯人は寄りつかない。もう少し警備を甘くして、おびきよせりゃあいいのに」同期の男は不満そうにいった。

「万が一にもレールガンを発射されたらまずいと上は考えているんだ。何しろ、どれほどの威力なのかは不明だからな」

「そんなにすごいものなのか。たかが高校生が作った玩具《おもちゃ》だろ」

作ったのは高校生でも、作らせた人間は天才物理学者なんだよ、といいたいのを草薙は我慢した。

それから間もなく、地鎮祭が終わったという連絡が入った。草薙はテントから出て、双眼鏡で様子を窺った。広い草原の真ん中で、大勢の関係者や報道陣を前にし、大賀が挨拶をしている。

草薙は周囲を見渡した。不審な車両はないようだ。

大賀がマイクの前から離れた。着席していた関係者たちも立ち上がった。大賀がそばに駐めてあったベンツに乗り込むのが見えた。

岸谷がテントから出てきた。「連絡がありました。全員、県警本部に戻るようにとのことです」

わかった、と草薙は答えた。地鎮祭が無事に終了したとなれば、こんなところにいる理由がなかった。

だが車に分乗して県警本部に戻る途中のことだ。緊急の連絡が無線で入ってきた。『サニー・グラウンド』に移動せよ、というのだった。『サニー・グラウンド』とは光原町郊外にある野球場らしい。

草薙は間宮に電話をかけ、どういうことかと尋ねた。

「どうもこうもない。大賀代議士の予定が変わった。というより、警察が知らされてない予定が入っていた。駅に向かう前に、『サニー・グラウンド』に寄るっていうんだ。始球式をするとかいってる」

「始球式？」

「今日、少年野球大会の決勝があるそうだ。そこで始球式をするのが恒例らしい。しかもただの始球式じゃない。大賀代議士がピッチャーで、町長がバッターボックスに立って、一打席かぎりの真剣勝負をやるんだってよ。大賀代議士と町長は高校時代に野球部で一緒だったそうだ。全く、こっちの気も知らないで」

「それは公表されているんですか」

「光原町のホームページにある町長のブログには、『今年もライバルとの対決が楽しみ』とだけ書いてあって、それが誰かは明記されていない。しかし去年の新聞記事を調べれば、代議士だとわかるらしい」

古芝伸吾はそれを見たのだな、と草薙は思った。

「その野球場というのは観客席があるんですか」

「ない。そんな高級な球場ではなさそうだ。ネットが張られているだけで、外から誰でも観戦できる。その地域は高低差が大きく、グラウンド内を見下ろせる場所がいくつもあるんだってよ」

「それって、まずいじゃないですか」

「だからあわてて警備をすることになったんだ。とにかく急いで移動してくれっ」間宮は怒鳴るようにいうと、草薙の返事を待たずに電話を切った。

27

助手席では湯川がしきりにパソコンを操作していた。信号待ちの時に横から覗くと、航空写真のようなものが表示されている。それは何かと問うと、グーグルアースだとの答えが返ってきた。『サニー・グラウンド』周辺の地形や建物の配置などを確認しているのだという。

「始球式とは、いいところに目をつけた。こんなことを褒めたくはないが、さすがは古芝君だといわざるをえないな」

「捜査陣の裏をかいたということですか」

「それだけじゃない。じつは地鎮祭の最中を狙うつもりではないかという話を聞いた時から、僕は違和感を持っていた。たしかに周囲に何もない場所で行われる地鎮祭は、狙撃するには格好の状況に思える。しかし正確な位置が事前にわかっているわけではない。大賀代議士がどこに座るか、挨拶をするにしてもマイクがどこに置かれるか、その時になってみないとわからない。レールガンはライフルじゃない。臨機応変には発射方向を変えられない。一キロ前後の距離に照準を合わせるには、相当の準備が必要だ。おそらく最低でも一時間は要する。厳重な警備が行われる中でそんなことをしていたら、忽《たちま》ち見つかってしまうだろう。つまり狙撃を成功させるには、標的となる人物が必ずその位置に来るということがわかっていて、事前にそこへ照準を合わせておくことが必要となる」

「野球場の始球式なら、それが可能だと?」

「可能だろう。野球のピッチャーは必ずマウンドのプレート上に立つ。大賀代議士の身長を把握していれば、頭の位置も推定できる」

話を聞いているうちに、ハンドルを握る薫の手のひらに汗が滲んできた。

「参考までに伺いますが、レールガンの発射物が人の頭に当たったらどうなりますか」

「さあね」湯川は気のない返事をした。「そんなことは考えたこともない。何度もいうようだが、レールガンは実験装置であって武器じゃない。もちろん君のいいたいことはわかっている。使う人間によっては武器になる、だろ？　しかし真の科学者ならば、決してそういう使い途を選んではならない」

「古芝君は、真の科学者であることを放棄したんでしょうか」

湯川は首を振った。「そうでないことを祈るだけだ」

その時だった。傍らに置いたスマートフォンが鳴りだした。薫は車を道路脇に止め、電話に出た。相手は間宮だった。

「古芝伸吾の車が見つかった。外から確認しただけだが、中に積んであるのはレールガンだと思われる。本人の姿は見当たらない。すぐに湯川先生と一緒に来てくれ。詳しい場所はメールで送る」

「了解しました」

電話を切り、湯川に事情を話した。彼は首を傾げた。

「外から確認したということは、バンのハッチは閉じられたままなのか。その状態では発射はできない。古芝君は一体どうする気なのか……」

メールが届いた。地図が添付されている。球場の近くらしい。

「とにかく行ってみましょう」薫は車を発進させた。

28

現場は高台にある住宅地の一角だった。空き地になっていて、数台の車が駐められている。そのうちの一台が白のワンボックス・バンだった。ナンバーを確認したところ、古芝伸吾のものに間違いないと判明した。長い金属板を備えた装置が窓ガラス越しに見えた。

草薙は車の脇に立ち、視線を遠くに向けた。斜め下に『サニー・グラウンド』がある。マウンドまで、真っ直ぐに見通せた。距離は約五百メートルというところか。

「まさに絶好のポジションだ」思わず呟いた。

「危ないところだった。地鎮祭は無事終了ということで安心して引きあげて、その後の始球式で射殺されたなんてことになったら、刑事部長の首が飛ぶ程度じゃ済まなかった」間宮が隣に来て、煙草の煙を盛大に吐き出した。

「問題は古芝伸吾ですね。どこに隠れているのか」

「犯行を断念したということなら話が早いんだがな。いずれにせよ、俺たちがここにいるかぎり、奴はレールガンには近づけない」

　間宮が地面で煙草の火を消し、吸い殻を指先で摘んだ。草薙が携帯灰皿をポケットから出した時、一台の車が近づいてきた。運転席に内海薫の姿があった。

　車が止まり、内海薫と湯川が降りてきた。

「先生、お忙しいところをわざわざすみません」間宮が駆け寄り、挨拶した。

　湯川は頷き、草薙のほうを見た。目が合った。

「その車か」湯川が訊いてきた。

　そうだ、と答えて草薙はスライドドアを開いた。ロックされていたのだが、ついさっき解錠したのだ。

　湯川は草薙が差し出した手袋を嵌め、車に近寄った。車内にある装置を眺める横顔に、大きな変化はなかった。

　どうだ、と草薙は訊いた。「間違いないか」

「たしかにレールガンだ」湯川はいった。「僕の指導の下で、古芝君が高校時代に作ったレールガンに間違いない。コンデンサにトランス、スライダックにも見覚えがある。あの時のままだ」

よしっ、と間宮が力強い声を発し、スマートフォンを取り出した。上司に報告するらしい。

草薙は野球場を指差した。「ここから狙い撃ちすることは可能か？」

湯川は冷めた目を球場に向けた。「やろうと思えば可能だろうな」

「だけどこのままじゃだめだよな。装置がセットされていないことは、素人で理系オンチの俺でもわかる。古芝はどうする気なんだろう」

「さあね」湯川はショルダーバッグから双眼鏡を取り出し、遠くの景色を眺め始めた。野球場とは別の方向で、まるで事件には関心がないといわんばかりだ。

「何を見ている？」

「別に」湯川は双眼鏡から目を離した。「僕の役目は終わったのなら、もう帰ってもいいかな。古芝君が逮捕されるところを見たくない」

「ああ、それはまあ構わんが……」

「僕を駅まで送ってくれないか。そこからは一人で帰る」

湯川にいわれた内海薫が、意見を求めるように草薙を見た。

「送ってやれ」

はい、と答え、内海薫は車に向かって歩きだした。湯川も彼女に続く。その背中に向かって、「湯川、悪かったな」と草薙は声をかけた。「だけどおかげで古芝伸吾を殺人犯にしなくて済んだ。これでよかっただろ？」

湯川は振り返った。その顔に薄い笑みが浮かんだ。口元は緩んでいるが、目には悲しげな光が滲んでいた。

「彼のことは僕が一番よくわかっている」そういって車に乗り込んだ。

何なんだ、一体――走り去る車を見送りながら呟いていると間宮がやってきた。

「見張りの警官を残し、ほかの者は古芝捜しに加われという指示だ。始球式は三十分後に行われる。レールガンを失った古芝としては、大賀代議士を殺すには本人に近づくしかない。球場周辺を重点的に見回るぞ」

了解、と草薙は答えた。

29

駅に着くまで、湯川はずっと無言だった。古芝伸吾の犯行が未然に防がれたことに安堵しつつも、やはり傷ついているのだろうと薫は想像した。

駅前のコンコースで湯川は車から降りた。「送ってくれてありがとう」沈んだ声でいい、彼は歩きだした。

薫は車を出そうとした。その時、助手席の足元に布のようなものが落ちているのが見えた。拾ってみると眼鏡のレンズ拭きだった。湯川が落としたらしい。

なくて困るものでもないかもしれないが、薫は車から降りて彼の跡を追った。まだそれほど遠くには行っていないはずだ。

するとと構内に入ったはずの湯川の姿が見えた。タクシーに乗り込むところだった。

これからどこへ行く気なのか。考えている暇はなかった。薫は大急ぎで車に戻った。急いでエンジンをかけ、発進させた。

タクシーがコンコースを出ていく。少し距離を置いて、追跡を始めた。見失わないよう前方に注意しながら、片手でスマートフォンを摑んだ。間宮か草薙の指示を仰ごうと思ったのだ。

しかし——。

薫はスマートフォンを助手席に放り出した。すべては湯川の話を聞いてからだ、と思った。

やがて前方に巨大なショッピングセンターが現れた。タクシーは、その前で止まった。湯川が降り、建物に向かって歩き始めるのが見えた。

薫は彼を追い抜いてから車を止め、外に出た。「先生っ」

湯川が立ち止まった。彼女を見て、しまったとばかりに唇を嚙んだ。

薫は彼を睨みつけた。「どういうことですか」

「何でもない。ショッピングセンターに来ただけだ」

「何のためにですか。駅からわざわざタクシーに乗って、一体何を買うんですか」

「君には関係がない」

「だったら私も一緒に行きます」

「来なくていい」

「行きます。勝手についていきます。先生はお気になさらず、買い物を楽しんでください」

湯川の眉間に深い皺が刻まれた。目に焦りの色があった。

「何かあるんですね、ここで」薫はいった。「話してください」

「それはできない。頼むから一人で行かせてくれ」

「そういうわけにはいきません」薫はスマートフォンを取り出した。「説明していただけないのなら、草薙さんに連絡します」

湯川が苦しげに顔を歪ませた。「時間がないんだ。もうすぐ始球式が始まるんだろ」

「なぜそんなことを心配するんですか。レールガンは、もう使えないのに」

すると湯川は目をそらし、首を振った。「そうじゃないんだ」

「そうじゃない？　それ、どういう意味ですか。教えてください」

「すまない。何が起きても僕が一人で責任を取る。すべての責任を取る。だから黙って行かせてくれ」

湯川が強引に歩きだそうとした。薫は彼の腕を摑んだ。

「だったら、私も一緒に行きます。私も責任を取ります」

「無茶なことを……」

「無茶をいってるのは先生です。私の性格は御存じでしょう？　ここで引き下がると思いますか」

湯川は苦悶の色を浮かべ目を閉じた。

30

少年たちが守備練習をしているのが金網越しに見えた。草薙は間宮と共に球場の駐車場にいる。つい先程、大賀仁策たちが到着し、そばの事務所に入っていった。そこで彼等の着替えが終わったら、始球式が始まるのだろう。

「古芝は現れないかもしれんなあ」間宮が、のんびりとした声を出した。「武器を取り上げられたんじゃ、打つ手がないだろう。今頃は県外に出てるんじゃないか」

「そうかもしれませんね」

「少し大袈裟に考えすぎていたかもしれんな。いくら秀才だったといっても、犯罪者として手強いとはかぎらん。所詮は高校を出たばかりの若造だ。まあ、あれだけのものを高校生の時に作ったのは大したものだと思うがな」

そうですね、と答えながら草薙は何か引っ掛かるものを感じた。

高校生の時に作った――。

いや、そうではないはずだ。原型は高校生の時に作ったかもしれないが、そこにいろいろな改造を加えたはずだ。そのために古芝伸吾はクラサカ工機に就職したのだ。そのことは倉坂由里奈も証言している。

はっとした。湯川の言葉が不意に蘇った。

「僕の指導の下で、古芝君が高校時代に作ったレールガンに間違いない。コンデンサにトランス、スライダックにも見覚えがある。あの時のままだ」

あの時のまま――。

そんなわけがない。いくつかの改造が施されているのなら、湯川はあんな言い方はしなかったはずだ。

「係長、内海から連絡はありましたか」草薙は間宮に訊いた。

「いや、ない。そういえば遅いな」

草薙はスマートフォンを取り出し、内海薫にかけた。電話はすぐに繋がった。はい、と彼女にしては珍しく沈んだ声で返事をした。

「草薙だ。今、どこにいる？」

だが彼女はすぐには答えない。何かを躊躇っている気配がある。

「湯川は？　湯川はどうした。駅まで送ったのか。奴は東京に戻ったのか」

「私は今……湯川先生と一緒にいます」

「湯川と？　おい、どういうことだ。説明しろ。どこにいるんだっ」

「場所は、球場から東に一キロほど行ったところにあるショッピングセンターです」

「ショッピングセンター？　そんなところで何をしている？」

少し間があり、内海薫は答えた。「古芝伸吾が現れるのを待っています」

草薙は電話を耳に当てたままで駆けだしていた。間宮に呼び止められたが、答えている暇などなかった。

31

ノートパソコンのモニターに、ユニホームを着た少年たちが映っている。軽快な動きを見せていた彼等だったが、守備練習終了の合図が出されたらしく、全員がボールをキャッチャーに戻し始めた。いよいよ試合が始まるらしい。だがその前に滑稽な儀式がある。大賀仁策と町長による一打席かぎりの対決。

馬鹿げたことだ、と唾棄したくなるような話だ。これから子供たちが真剣勝負をするというのに、大の大人が余興を楽しんでどうするのか。

もっとも今日ばかりは、このくだらない行事を歓迎するしかない。あの大賀仁策が、秋穂を見殺しにした極悪人が、マウンドという格好の標的場所に立ってくれるのだ。

伸吾は腕時計を見た。予定より五分ほど遅れているようだ。どうせ大賀が遅刻をしたのだろう。あの男は人を待たせることを何とも思わない。残されていたメールによれば、ホテルで秋穂を待たせることも多かったようだ。なぜ姉はあんな男に惹かれたのか。考えても仕方のないことだが、やはり悔しくてたまらない。

大賀たちはまだグラウンドに現れない。もう一度時計を見て、何度か深呼吸し、顔をこする。胃が少し痛むのは、空腹のせいか。十時間以上、何も食べていない。コンビニで買ってきたサンドウィッチと缶コーヒーがあるが、食欲などまるでなかった。

秋穂の手料理が懐かしかった。彼女は決して料理が上手ではなかったが、忙しい時でも弟のためにあれこれと作ってくれた。煮込みハンバーグは得意料理の一つだった。

「いくらファミレスでバイトをしてるからって、店のものばっかり食べてちゃだめだからね。ああいうのは殆どが冷凍でしょ？　やっぱりきちんと料理したものでないと栄養のバランスが悪くなるんだから」そんなことをいいながら皿いっぱいにハンバーグを盛りつけたことがあった。ソースは皿から溢れそうになっていた。伸吾が大学に入り、バイトを始めたばかりの頃だ。

「ハンバーグばっかりのほうが、よっぽど栄養が偏るだろ」

「うるさい。あたしのハンバーグは特別。姉の愛情というスパイスが入ってるんだから。文句をいわずに食えっ」

あの時のことを思い出すと涙が溢れた。あれから一週間後、彼女は帰らぬ人となった。

ベンチから二人の男が現れた。どちらもユニホーム姿だった。一方は大賀仁策だ。左手にグローブを嵌めている。右手を軽く振りながら、マウンドに向かって歩き始めた。

伸吾はキーボードを操作した。画面の映像が拡大されていく。ここに映し出されているのは、レールガンの照準器から送られてくる映像だ。

高台に置いたワンボックス・バンは、おそらく発見されているだろう。そうでなければ、このショッピングセンターの立体駐車場にも警官たちが来ているはずだった。バンに積んであるレールガンがダミーだとは、ふつう誰も思わない。

インターネット上の記事を虱潰《しらみつぶ》しに調べたが、長岡修殺しに関するものは見当たらなかった。捜査がまるで進展していないからなのか、進展はしているが情報を公開できる段階ではないからなのかはわからない。しかしおそらく警察は自分の計画を把握しているだろう、と伸吾は考えていた。高校からレールガンを運び出したこともばれているだろうし、何より倉坂由里奈が沈黙を守り続けているとは思えなかった。

大賀仁策の顔が大写しになった。画面の中央には白い円が表示されている。この円の中に大賀の頭部が入った瞬間が、伸吾にとって運命の時だった。実際の円の直径は三十センチ。正直なところ、本当に命中するかどうかはわからなかった。計算上は、ある程度の確率で当たるはずだというしかない。今、自分にできることはこれだけなのだ。

姉さんと呟き、秋穂の顔を思い浮かべた。今、仇を討ってやるからな——。

大賀が近づいてきた。間もなく頭部が円の中に入ろうとしている。

伸吾は唾を呑み込んだ。コンデンサへの充電は完了し、発射プログラムはすでに立ち上げてある。リターンキーを押せばプロジェクタイルが発射される。

キーに指を近づけていった。

ところが次の瞬間、突然映像が消えた。

伸吾は慌てた。何が起きたのかわからなかった。レールガンをモニターしているプログラム自体が動作しなくなっている。

本体に異状が発生したと考えるしかなかった。伸吾は車から外に出た。乗っていたのはレンタカー店で借りたライトバンだ。ここは立体駐車場の二階だった。

近くのエレベータに乗り、屋上まで上がった。一番端の駐車スペースに、幌のついたトラックが止まっている。これまたレンタカーだ。

伸吾は荷台によじ上った。そこには彼の執念の結晶が積み込まれていた。

レール長、二メートル。総重量約三百キロ。性能においては世界最高水準と自負するレールガンだ。その先端は一キロ以上先の野球場に向けられている。

見たところ、異状はないように思われた。仲吾は焦った。早くしないとチャンスを逃してしまう。

その時だった。聞いたことのない電子音が流れてきた。音のほうを見ると、スマートフォンが置いてあった。見覚えのないものだった。なぜこんなものがここにあるのか。

仲吾はおそるおそる拾い上げ、着信表示を見て目を剝いた。湯川、となっていたからだ。

呼吸を整え、電話に出た。「はい」

「レールガンを使い、一キロ先にある約三十センチの標的を狙撃できるかどうか——なかなか興味深い実験だ。その標的が人間の頭でなければ、の話だが」湯川の快活な声が聞こえてきた。「申し訳ないが本体のプログラムを書き直した。レールガンの制御権はこちらにある」

仲吾は電話を手にしたまま荷台から外に出た。急いで周囲を見回した。

隣にある建物の屋上に、湯川がいるのが見えた。若い女性と一緒だ。

「先生、どうして……」

「君のレールガンをじっくりと見せてもらった。見事な出来だ。感心した。二年前、さらなるパワーアップを図るためのアイデアをいくつか授けたが、それらが完璧に反映されている。君は素晴らしい技術者だ」

「ありがとうございます」思わず口にしていた。

「君の部屋から押収された、プロジェクタイルの図面を見た。二年前には断念したプロペラ案を採用したようだな」

はい、と伸吾は答えた。

「球形のガラスを樹脂でコーティングし、その樹脂に一二〇度間隔でY字形の切れ込みを入れました。発射された瞬間、空気抵抗で樹脂はそこから三方向に剝がれ始めます」

「ミカンの皮が剝けるように、だな。剝がれた樹脂は、プロペラの羽の役割を果たし、プロジェクタイル全体を回転させる」

「ミカンの皮は次の瞬間には引きちぎられますが、残った球体のプロジェクタイルは回転運動を続けます。それによって指向性は増し、空気抵抗も軽減されます。ライフルの弾丸と同じです」

素晴らしい、と湯川は満足げに頷いた。

「プロジェクタイルが標的に当たらず、無関係な人間を傷つける確率は計算したか」

「やりました」伸吾は答えた。「〇・〇一パーセント以下です」

「では標的に当たる確率は？」

「それは……無風の場合で五〇パーセント程度でしょうか」

「そんな低確率でもいいのか」

「よくはないです。でもほかに方法が思い浮かびませんでした」

「断念するという道もあったはずだ。――おっ、代議士の投球練習が終わったようだぞ」湯川がパソコンの画面に目を向けている。「いよいよ町長との対決が始まるらしい」

「先生……」

「私がここへ来たのは、一言でいえば責任を取るためだ」湯川はいった。「事情はわかっている。君だって聖人君子じゃない。愛する人を見殺しにされた恨みを晴らしたいと思うこともあるだろう。だけど思い出してほしい。レールガンの研究に没頭した時のことを。二人でどんな話をした？　科学の素晴らしさを語り合っただろ。私は君にそんなことをさせたくて科学を教えたんじゃない」

伸吾は俯いた。返す言葉などなかった。

しかし、と湯川は続けた。

「無理に断念させようとは思わない。君がどうしても思いを遂げたいというのなら力を貸そう。君にそのレールガンを作らせたのは私だ。だから私が決着をつける。撃ちたいと思うなら、そういってくれ。代議士の頭部が照準器に入った瞬間、私はプロジェクタイルを発射する」

32

エレベータの扉が開いた瞬間、草薙は駆け出していた。ガラスドアを開け、真っ先に屋上に出た。内海薫の姿が目に入った。その向こうに湯川がいる。

彼に近づこうとすると、内海薫が前に立ちはだかった。行く手を遮るように両手を大きく横に広げた。

「何の真似だ」

「それ以上、湯川先生に近寄らないでください」

「はあ？　ふざけるなよ。何いってるんだ」

「向こう側の建物にトラックが駐まっていますよね。そのそばに古芝伸吾がいます」

草薙はいわれたほうを見た。内海薫のいう通りだった。

彼女は続けた。「トラックには本物のレールガンが積まれています。バンに積んであったのはダミーでした。本物は、あの倍の大きさがあります」

草薙は舌打ちした。「やっぱりそうか」

やりとりが耳に入ったのか、湯川が振り返った。

「これはこれは警視庁の草薙警部補。わざわざ来てもらって悪いが、それ以上は近づかないでもらいたい。そんなことをしたらレールガンのスイッチを入れる」

「何？　何をいってるんだ、あいつ」内海薫に訊いた。

「レールガンの制御装置を持っているのは湯川先生なんです」

「何だって？」

「いっておくが」湯川が草薙のほうを見ていった。「古芝君にも近づかないでもらいたい。向こう側に捜査員が一人でも姿を見せた場合も、私はスイッチを入れる」

「湯川、気はたしかか」

「これまでの生涯で、最もたしかだ」そういって湯川は電話を耳に当てた。「警察が来たが心配はいらない。彼等に邪魔はさせない。それより合図はまだか。大賀代議士と町長の戦いは始まっている。代議士の頭は、しばしば照準内に入る。やるなら早いほうがいい。大賀代議士はなかなかコントロールがよく、早々にストライクを取っている。ぼやぼやしていると町長が三振して終わりだ」

草薙は内海薫を睨みつけ、小声で訊いた。「おまえ、いつから知ってた？」

「ここに来て、知りました」

「なぜもっと早く知らせなかった」

彼女は下を向き、黙っている。答え辛そうだ。

「おい」

「任せようと思ったんです」顔を上げた。「湯川先生に」

「本気かよ」

「すみません。処分は覚悟しています」

そういう問題じゃねえよ――草薙は額をぬぐった。肌寒いはずなのに汗が出てきた。

33

「どうした、諦めるのか?」湯川が電話で訊いてきた。「一年近くも準備してきたんだろ。警察に捕まることも覚悟の上だったんだろ。だったら、何を躊躇う必要がある。私のことなら気にするな。これもまた自業自得だ。教え子に正しく科学を教えてやれなかったことに対する罰だ」

恩師の言葉が伸吾の胸を激しく揺さぶった。湯川にそんなことはさせられない。だが今ここでチャンスを逃したら、秋穂の仇を討つことは永久に不可能になるだろう。

今日までの日々が頭の中を駆け巡った。復讐することだけを考えて生きてきた。それ以外は何も望まなかった。もし復讐を遂げられたなら、死んでもいいと思っていた。

「カウントがワンストライク、ツーボールになった」湯川がいった。「さあ、どうする? そろそろ決断する時だ」

伸吾は顔を上げた。湯川と目が合った。

最後に、と恩師がいった。

「一つだけ教えておきたいことがある。二年前に二人でレールガンを完成させた夜、君の家でささやかな祝賀会をしたことがあっただろう。お姉さんの秋穂さんも一緒だった。覚えているか」

伸吾は頷いた。忘れたことなどない。楽しかった思い出の一つだ。

「ビールを口にした君が眠り込んでいる間、秋穂さんが興味深い話を聞かせてくれた。君のお父さんについてだ。君はお父さんが、どういう仕事をしていたのか、詳しく知っているか」

知らなかったので、いいえ、と首を振った。

「だったら教えてやろう。お父さんの仕事は、地雷撤去の機械を研究開発することだった。そのために何度もカンボジアに足を運んでいた」

「地雷……」

驚いた。初めて聞く話だった。

「お父さんが勤務していた暁重工に行き、詳しい話を聞いてきた。開発を提案した時の報告書の後書きにはこうある」湯川が懐から一枚の紙を出してきた。「地雷は核兵器と並んで、科学者が作った最低最悪の代物である。いかなることがあっても、科学技術によって人間を傷つけたり、生命を脅かしたりすることは許されない。私は科学を志す者として、過去の過ちを正したい。──これを聞いて、どう思う？」

伸吾は衝撃を受けた。父がそんな仕事をしていたことなど全く知らなかった。

「この理念は素晴らしい。それなのになぜお父さんは、自分の仕事について君に話さなかったのだろう。これもまたあの夜に秋穂さんから聞いたことだが、お父さんはわざと君には隠していたのだそうだ。なぜだと思う？」

「わかりません」

「お父さんは、秋穂さんにはこういっていたそうだ。自分のやっていることは社会貢献でも善行でもなく懺悔《ざんげ》だ、威張って息子に話せるようなことではない、と」

「懺悔？」

「暁重工で働く前、君のお父さんはアメリカの企業にいた。君が生まれるよりも前の話だ。もちろん君は知らないだろうな」

これまた初耳だった。知りません、と伸吾は答えた。

「その会社は軍需産業に関わっていた。そしてそこでお父さんが担当していたのは、対人地雷の製造だった」

はっとした。身体が細かく震えだした。

「若かったせいもあり、自分がしていることの意味を深くは考えていなかったそうだ。

地雷は弾薬と同じで単なる武器の一つ。戦争がなくならない以上、武器は必要。その程度の認識だった。ところがある時、地雷で両足が吹き飛ばされた子供の姿を目にした。その子は、その付近に地雷があるとわかっていながらも、家族のための水を汲むにはそこを通らなければならなかったんだ。そのことを知った時、お父さんは自らの大きな過ちに気づいた。それまでの自分のことを大いに恥じた。そこで帰国し、暁重工で新たなスタートを切ることにした。研究者としての残りの人生を、過ちを正すことに使いたい、と考えたわけだ」

湯川の言葉の一つ一つが伸吾の胸に深く染み込んでいった。恵介の顔が浮かんだ。あの温和な表情の下に、そんな苦悶が潜んでいたとは露ほども知らなかった。

「科学を制する者は世界を制す」一言一言を嚙みしめるように湯川がいった。「核兵器や地雷を思い浮かべた時、この言葉は全く別の意味を持ってしまう。お父さんは自分自身への戒めとしても、この言葉を忘れないようにしていたんだ。あの夜、秋穂さんは、いつかこの話を弟に聞かせたいとおっしゃっていた。どうだ、古芝君。この話を聞いて、どう思う？　今、君がやろうとしていることは、果たして天国のお父さんを喜ばせるだろうか。——おっと、ファウルだ。これで三つ目だ。町長、なかなか粘ってるな。しかしツーストライク、スリーボール。たぶん次の一球で決まる。早くしろ。今、代議士の頭部は照準内だ。合図するなら今だっ」

全身から力が抜けて行くのを伸吾は感じた。だが無力感に襲われたわけではない。重くのしかかっていた何かが取り除かれた感覚だった。彼は電話を耳から外した。だらりと両手を下げ、湯川を見つめた。

湯川もこちらを見ていた。その顔には穏やかな笑みが浮かんでいた。

電話を耳に当てろ、というふうに湯川が仕草で示してきた。いわれた通りにした。

「センター前ヒットだ。君の代わりに町長が大賀代議士をやっつけてくれた」

伸吾は口元を緩めた。心の底から笑えたのはいつ以来だろうと思った。

34

ひらひらと舞った桜の花びらが、紙コップの中にうまく飛び込んだ。

「あっ、それって縁起がいいんですよね」岸谷が赤い顔をしていう。スーツ姿しか見たことがないが、今日はジャンパーにジーンズという出で立ちだ。そうしていると、いつもよりも若く見える。

「そうなのか。まあ、縁起が悪いよりはいい」草薙は花びらをビールごと呑み込んだ。

内海薫がビールを注いでくれた。「湯川先生、遅いですね。電話してみましょうか」

「どうせ勿体をつけてるんだよ。ゆっくりと現れたほうがありがたみが出るとでも思ってるんだろ。ほっとけ、ほっとけ」

四月に入っていた。草薙たちの係は非番なので、花見をしようということになったのだ。湯川にも声をかけようといいだしたのは内海薫だ。それには誰も反対しなかった。

レールガン事件以来、草薙は湯川とは会っていなかった。私情が入ってはいけないということで、事情聴取は別の捜査員が担当したからだ。湯川には公務執行妨害の容疑がかけられたが、結局不起訴になっている。

古芝伸吾は器物損壊で起訴された。殺人予備罪については見送られた。妥当な判断ではないかというのが草薙の印象だ。

そして大賀仁策については何も変化がない。スーパー・テクノポリス計画は着々と進行している。女性スキャンダルについてどこかから記事が出るという話もない。

草薙は、今度湯川に会ったら確かめようと思っていることがあった。もし古芝伸吾が合図を出していたら、本当にレールガンに発射させていたかどうか、ということだ。

まさかそんなことはしないだろう、というのが間宮たち多数派の意見だ。

「発射させる意味がない。照準内に入らないとかいろいろと理屈をつけて、回避すればいいだけのことだ。頭の良い湯川先生なら、その程度のことはできる」

それに対して、たぶん発射させたと断言するのは内海薫だ。

「私はそばで見ていました。先生の目は本気でした。もしその結果として代議士を殺すことになったとしたら、潔く刑に服したと思います。でも後悔はしない。そういう人です」

常識で考えれば間宮たちの意見のほうが妥当だ。だが湯川のことをよく知っている草薙としては、内海薫のいっていることもよくわかる。

レールガンについては科捜研で詳しく調べてもらった。その完成度には天才的なものがあるという話だった。発射していたら、プロジェクタイルは高い確率で的中し、大賀仁策の頭はスイカのように破裂していただろうと推測されている。

早く会って話を聞きたいなと思っていたら、メールが届いた。見ると湯川からだった。次のような文面だ。

『急遽、ニューヨークに行くことになった。しばらく戻らない。仮に怪事件が起きたとしても、アメリカまでは来ないでほしい。ではまた』

草薙は苦笑し、返信するかどうかを迷った後、結局何も返さないことにした。そのほうが、またすぐに会えるような気がしたからだ。

これはこの次まで取っておくか――脇に置いたワインボトルに目をやった。『オーパス・ワン』だ。

一陣の風が吹き、花びらが雪のように落ちてきた。

この作品は、『禁断の魔術』（二〇一二年十月／文藝春秋刊）
所収の「猛射つ」を大幅に加筆・改稿したものです。

文春文庫

禁《きん》断《だん》の魔《ま》術《じゅつ》

定価はカバーに
表示してあります

2015年6月10日　第1刷
2022年9月5日　第21刷

著　者　東野《ひがしの》圭《けい》吾《ご》
発行者　大沼貴之
発行所　株式会社　文藝春秋

東京都千代田区紀尾井町 3-23　〒102-8008
TEL 03・3265・1211㈹
文藝春秋ホームページ　http://www.bunshun.co.jp

落丁、乱丁本は、お手数ですが小社製作部宛お送り下さい。送料小社負担でお取替致します。

印刷・凸版印刷　製本・加藤製本

Printed in Japan
ISBN978-4-16-790377-0

（　）内は解説者。品切の節はご容赦下さい。

東野圭吾
秘密
妻と娘を乗せたバスが崖から転落。妻の葬儀の夜、意識を取り戻した娘の体に宿っていたのは、死んだ筈の妻だった。日本推理作家協会賞受賞。（広末涼子・皆川博子）
ひ-13-1

東野圭吾
探偵ガリレオ
突然、燃え上がる若者の頭、心臓だけ腐った死体、幽体離脱した少年。奇怪な事件を携えて刑事は友人の大学助教授を訪れる。天才科学者が常識を超えた謎に挑む連作ミステリー。（佐野史郎）
ひ-13-2

東野圭吾
予知夢
十六歳の少女の部屋に男が侵入し、母親が猟銃を発砲。逮捕された男は、少女と結ばれる夢を十七年前に見たという。天才物理学者が事件を解明する、人気連作ミステリー第二弾。（三橋　暁）
ひ-13-3

東野圭吾
容疑者Xの献身
直木賞受賞作にして、大人気ガリレオシリーズ初の長篇、映画化でも話題を呼んだ傑作。天才数学者石神の隣人、靖子への純愛と、石神の友人である天才物理学者湯川との息詰まる対決。

ひ-13-7

東野圭吾
ガリレオの苦悩
〝悪魔の手〟と名乗る人物から、警視庁に送りつけられた怪文書。そこには、連続殺人の犯行予告と、湯川学を名指しで挑発する文面が記されていた。ガリレオを標的とする犯人の狙いは？

ひ-13-8

東野圭吾
聖女の救済
男が自宅で毒殺されたとき、動機のある妻には鉄壁のアリバイがあった。湯川学が導き出した結論は虚数解＝完全犯罪。驚愕のトリックで世界を揺るがせた、東野ミステリー屈指の傑作！

ひ-13-9

（　）内は解説者。品切の節はご容赦下さい。

赤川次郎
赤川次郎クラシックス
幽霊列車
山間の温泉町へ向う列車から八人の乗客が蒸発。中年警部・宇野は推理マニアの女子大生・永井夕子と謎を追う——。オール讀物推理小説新人賞受賞作を含む記念碑的作品集。（山前　譲）
あ-1-39

赤川次郎
幽霊記念日
英文学教授の息子の自殺の原因とされた女子大生が、その偲ぶ会の会場となった学園で刺された。学部長選挙がらみの事件で学園中が大混乱に陥った。好評「幽霊」シリーズ第七冊目。
あ-1-16

赤川次郎
幽霊散歩道《プロムナード》
オニ警部宇野と女子大生の夕子がTVのエキストラに出演中、殺人事件と首吊り事件が発生。無理心中か、はたまた真犯人はいるのか？　騒然とするスタジオで名コンビの推理が冴える。
あ-1-17

赤川次郎
幽霊協奏曲
美貌のピアニストと、ヴァイオリニストの男。因縁の二人が舞台で再会し、さらに指揮者が乱入？　ステージの行方は……。「後ろ姿の夜桜」「夕やけ小やけ」など全七編を収録。
あ-1-46

赤川次郎
マリオネットの罠
私はガラスの人形と呼ばれていた——。森の館に幽閉された美少女、都会の空白に起こる連続殺人。複雑に絡み合った人間の欲望を鮮やかに描いた、赤川次郎の処女長篇。（権田萬治）
あ-1-27

阿刀田　高
ローマへ行こう
忘れえぬ記憶の中で、男は、そして女も、生きたい時がある。あれは夢だったのだろうか。夢と現実を行き交うような日常の不可解を描く、大切な人々に思いを馳せる珠玉の十話。（内藤麻里子）
あ-2-27

我孫子武丸
裁く眼
法廷画家が描いた美しい被告人女性と裁判の絵がテレビ放送された直後、彼は何者かに襲われた。絵に描かれた何が危険を呼び込んだのか？　展開の読めない法廷サスペンス。（北尾トロ）
あ-46-4

（　）内は解説者。品切の節はご容赦下さい。

有栖川有栖
火村英生に捧げる犯罪
臨床犯罪学者・火村英生のもとに送られてきた犯罪予告めいたファックス。術策の小さな綻びから犯罪が露呈する表題作他、哀切でエレガントな珠玉の作品が並ぶ人気シリーズ。（柄刀　一）
あ-59-1

有栖川有栖
菩提樹荘の殺人
少年犯罪、お笑い芸人の野望、学生時代の火村英生の名推理、アンチエイジングのカリスマの怪事件とアリスの悲恋。「若さ」をモチーフにした人気シリーズ作品集。（円堂都司昭）
あ-59-2

青柳碧人
国語、数学、理科、誘拐
進学塾で起きた小6少女の誘拐事件。身代金5000円、すべて1円玉で⁉　5人の講師と生徒たちが事件に挑む。「読むと勉強が好きになる」心優しい塾ミステリ！（太田あや）
あ-67-2

青柳碧人
国語、数学、理科、漂流
中学三年生の夏合宿で島にやってきたJSS進学塾の面々。勉強漬けの三泊四日のはずが、不穏な雰囲気が流れ始め、ついには行方不明者が！　大好評塾ミステリー第二弾。
あ-67-4

天祢　涼
希望が死んだ夜に
14歳の少女が同級生殺害容疑で緊急逮捕された。少女は犯行を認めたが動機を全く語らない。彼女は何を隠しているのか？　捜査を進めると意外な真実が明らかになり……。（細谷正充）
あ-78-1

秋吉理香子
サイレンス
深雪は婚約者の俊亜貴と故郷の島を訪れるが、彼には秘密があった。結婚をして普通の幸せを手に入れたい深雪の運命が狂い始める。一気読み必至のサスペンス小説。（澤村伊智）
あ-80-1

明日乃
お局美智　経理女子の特命調査
地方の建設会社の経理課に勤める美智。普段は平凡なOLだが、会社を不祥事から守るため、会長から社員の会話を盗聴する特命を負っていた──。〝新感覚〟お仕事小説〟の誕生です！
あ-83-1

（　）内は解説者。品切の節はご容赦下さい。

内田康夫
氷雪の殺人
利尻富士で、不審死したひとりのエリート社員。あの日、利尻島にわたったのは誰だったのか。警察庁エリートの兄とともに謎を追う浅見光彦が巨大組織の正義と対峙する！　（自作解説）
う-14-24

内田康夫
贄門島《にえもんじま》（上下）
二十一年前の父の遭難事件の謎を追う浅見光彦は、房総に浮かぶ美しい島を訪れる。連続失踪事件、贄送り伝説——因習に縛られた島の秘密に迫る浅見は生きて帰れるのか？　（自作解説）
う-14-25

歌野晶午
葉桜の季節に君を想うということ
元私立探偵・成瀬将虎は、同じフィットネスクラブに通う愛子から霊感商法の調査を依頼された。その意外な顚末とは？　あらゆる賞を総なめにした現代ミステリーの最高傑作。
う-20-1

歌野晶午
春から夏、やがて冬
スーパーの保安責任者・平田は万引き犯の末永ますみを捕まえた。偶然の出会いは神の導きか、悪魔の罠か？　動き始めた運命の歯車が二人を究極の結末へと導いていく。　（榎本正樹）
う-20-2

歌野晶午
ずっとあなたが好きでした
バイト先の女子高生との淡い恋、美少女の転校生へのときめき、人生の夕暮れ時の穏やかな想い……。サプライズ・ミステリーの名手が綴る恋愛小説集は、一筋縄でいくはずがない⁉　（大矢博子）
う-20-3

冲方　丁
十二人の死にたい子どもたち
安楽死をするために集まった十二人の少年少女。全員一致で決を採り実行に移されるはずのところへ、謎の十三人目の死体が⁉　彼らは推理と議論を重ねて実行を目指すが。（吉田伸子）
う-36-1

江戸川乱歩・湊　かなえ　編
江戸川乱歩傑作選　鏡
湊かなえ編の傑作選は、謎めくパズラー「湖畔亭事件」、ドンデン返し冴える「赤い部屋」他、挑戦的なミステリ作家・乱歩に焦点を当てる。　（解題／新保博久・解説／湊　かなえ）
え-15-2